# Alice
## et les
## faux-monnayeurs

# Caroline Quine

# Alice et les faux-monnayeurs

*Traduction*
Anne Joba

*Illustrations*
Marguerite Sauvage

HACHETTE Jeunesse

### Alice

Jeune détective de choc, extrêmement perspicace et courageuse pour ses dix-huit ans. Au volant de son cabriolet, elle se lance dans des enquêtes toujours trépidantes... quitte à affronter des adversaires aussi malhonnêtes que dangereux !

### Marion

Le garçon manqué de la bande. Avec Bess, c'est la meilleure amie d'Alice... Grande sportive, elle a le goût de l'aventure, et ne dit jamais non à une bonne enquête !

### Bess

C'est la cousine de Marion. Gourmande, coquette et aussi un peu timorée, elle finit cependant toujours par suivre ses amies dans les aventures les plus risquées...

## James Roy

Le père d'Alice.

Ce célèbre avocat prête souvent main forte à sa fille dans ses enquêtes... quand ce n'est pas Alice qui l'aide à résoudre les énigmes les plus ardues !

## Ned

Lorsqu'il n'est pas retenu par ses épreuves sportives ou par ses cours à l'université, ce beau jeune homme aide les trois amies à résoudre les mystères les plus ténébreux... pour le plus grand plaisir d'Alice !

L'ÉDITION ORIGINALE DE CET OUVRAGE A PARU EN LANGUE ANGLAISE CHEZ
GROSSET & DUNLAP, NEW YORK, SOUS LE TITRE :

*THE SECRET OF RED GATE FARM*

© Grosset & Dunlap, Inc., 1931.
© Hachette Livre, 1968 et 2006 pour la présente édition.

Traduction revue par Anne-Laure Estèves

Tous droits de traduction, de reproduction
et d'adaptation réservés pour tous pays.

Hachette Livre, 43, quai de Grenelle, 75015 Paris.

## chapitre 1

# Le parfum d'Orient

— Dépêchez-vous ! On va rater le train ! Allez, ça suffit maintenant : on ne peut pas porter un paquet de plus... Et vous avez vu l'heure qu'il est !

Alice Roy regarde avec inquiétude la grande horloge du magasin tout en s'efforçant d'arracher ses deux amies, Marion Webb et Bess Taylor, aux tentations que leur offre le comptoir du rayon bijouterie. Ce matin, vêtues de petites robes légères en coton, les trois jeunes filles ont quitté River City de bonne heure, pour aller faire des courses dans la ville voisine. Marion et de Bess s'en sont donné à cœur joie, au grand désespoir de leur porte-monnaie !

— On a tout, sauf le parfum, dit Bess après avoir consulté sa liste d'achats.

— Tant pis ! Ce sera pour une autre fois, décrète Alice avec fermeté en tirant son amie vers la sortie. Il est deux heures vingt-cinq et notre train part dans vingt minutes. Il ne nous attendra pas.

— Bon, bon ! grommelle Bess. Tu as gagné.

— En plus, si on reste une seconde de plus dans ce magasin, on n'aura plus rien pour payer le billet de retour, dit Marion, sa cousine, de son habituel ton brusque. Courage, ma vieille, j'arrive bien à me retenir, moi.

— Tu parles ! réplique Bess. Un manteau, deux robes, deux paires de chaussures, un agenda en cuir... C'est ça que tu appelles « te retenir » ?

— Ce n'est pas le moment de vous chamailler, intervient Alice en riant. Si vous ne vous pressez pas...

— Tu as raison, répond Bess. On te suit.

Non sans peine, les trois amies se fraient un chemin parmi la foule. Elles poussent un soupir de satisfaction quand elles se retrouvent dans la rue sans avoir rien laissé tomber. Malheureusement, leur satisfaction est de courte durée. Quelques mètres plus loin, Bess heurte une passante, qui la fusille du regard. Dans sa confusion, la jeune fille perd l'équilibre, se rattrape de justesse tandis que ses paquets s'éparpillent à terre, encombrant toute la largeur du trottoir.

Tout en murmurant des excuses, la jeune fille se baisse et, avec l'aide de ses amies, ramasse ses biens.

— Ouf ! dit-elle en se redressant.

8

— Ne te réjouis pas trop vite, dit Marion. On pourra s'estimer heureuses si on n'est pas obligées de rentrer chez nous à pied. Il n'y a pas d'autre train avant minuit, je crois. Je connais un raccourci pour aller à la gare, ça nous fera gagner dix bonnes minutes. Alice, ne fais pas cette tête ! On arrivera peut-être à temps.

Au pas de course, les trois amies prennent une ruelle étroite, puis une autre et débouchent, hors d'haleine, sur la place de la gare.

— Il nous reste encore douze minutes ! halète Bess en levant les yeux sur l'horloge ; arrêtons-nous un peu, sinon je m'effondre au milieu de la route. Je déteste courir !

— Et pourtant, ça ne peut pas te faire de mal, réplique Marion, impitoyable. C'est la punition de ta gourmandise.

Bess n'écoute pas. Elle est irrésistiblement attirée par une vitrine remplie d'objets orientaux.

— Je parie qu'on vend des parfums dans cette boutique, dit-elle. Allons y faire un tour.

— On n'a pas le temps, proteste Alice.

— Mais si ! On est à deux pas de la gare et je n'en ai que pour une minute.

Sans attendre la réponse, Bess s'engouffre dans la boutique. Ses amies sont bien obligées de la suivre.

Une jeune femme, très brune, au type oriental, vêtue d'une jolie tunique de soie claire brodée d'or et d'un pantalon noir, s'avance vers elles. Avec un sourire visiblement forcé, elle conduit les jeunes filles au comptoir des parfums. Elle parle avec un fort accent étranger.

Une odeur agréable plane dans l'air. Bess, persuadée que c'est une essence rare, en demande le nom à la vendeuse. Sans répondre, celle-ci prend un flacon, le débouche et le tend à Bess.

— Ce n'est pas celui-là, proteste Bess.

— Celui-ci est très fin, dit la jeune femme, sur un ton condescendant.

— Je ne dis pas le contraire, répond Bess, agacée. Mais ce n'est pas celui que je veux. Dépêchez-vous, s'il vous plaît, nous sommes pressées.

Alice et Marion, qui bouillonnent d'impatience, explorent elles aussi le magasin. Tandis que Bess discute avec la vendeuse, Alice découvre un flacon dont l'odeur correspond à celle qui embaume la boutique. Elle tend sa trouvaille à Bess.

— Non ! Ne prenez pas ce parfum, s'interpose la vendeuse.

— Mais si, c'est celui-là que je veux ! proteste Bess après l'avoir senti.

— Il est trop capiteux pour vous, croyez-moi, dit la jeune femme.

S'emparant d'un autre flacon, elle le fait respirer à Bess.

— Je vous conseille plutôt ce parfum qui est plus léger, insiste-t-elle.

— Non, je préfère l'autre, s'entête Bess. Combien est-ce qu'il coûte ?

— Il n'est pas à vendre. C'est une cliente qui l'a commandé.

— Vous ne pouvez pas en faire venir quelques flacons ? demande Alice. Votre cliente attendra bien encore un peu. Combien vaut ce parfum ?

— Cinquante dollars, répond vivement la vendeuse.

Les trois amies se regardent, étonnées. Bess se tourne le dos à la femme.

— C'est beaucoup trop cher ! Si je l'achète, ajoute-t-elle à voix basse, je n'aurai plus de quoi rentrer à la maison.

Alice, qui surveille la vendeuse du coin de l'œil, surprend sur son visage une expression de soulagement. Aussitôt, la jeune fille est prise d'une envie irrésistible d'acquérir le flacon de parfum, même à ce prix exorbitant. Pourquoi ? Elle n'en a aucune idée.

— Mettons notre argent en commun, dit-elle à ses amies. On arrivera bien à réunir cette somme.

— Excellente idée ! approuve Marion qui aime faire plaisir à sa cousine plus encore que la taquiner.

Les amies posent les cinquante dollars sur le comptoir.

La vendeuse fronce les sourcils, marmonne quelque chose entre ses dents et Alice la sent prête

11

à refuser de leur remettre le flacon. Enfin, elle se résigne et, avec un haussement d'épaules, elle emballe la petite bouteille de parfum dans un papier et leur tend le tout en déclarant :

— Vous regretterez de ne pas m'avoir écoutée. Ce parfum ne convient pas à des jeunes filles.

Sans répondre, les trois amies prennent le paquet et sortent de la boutique.

— Cinquante dollars pour un flacon minuscule ! s'exclame Bess. C'est du vol !

Alice partage cet avis, mais son instinct l'avertit que si la vendeuse tenait tant à garder sa marchandise, c'est parce que celle-ci a beaucoup plus de valeur qu'il ne paraît.

— Oui, dit Alice, c'est peut-être une folie, mais ce parfum est original. À River City, tu seras sans aucun doute la seule à le porter.

— C'est bizarre ! reprend Bess. On aurait dit que la vendeuse ne voulait absolument pas nous le vendre.

— C'est vrai que son attitude était un peu étrange ! approuve Alice, l'air préoccupé.

Un coup d'œil à l'horloge de la gare fait presser le pas aux trois amies.. Alice court chercher les billets, tandis que Bess et Marion se dirigent vers le train. Deux minutes plus tard, elles voient Alice revenir en brandissant les billets. À peine montées dans la première voiture accessible, le convoi s'ébranle.

— Ouf ! soupire Marion. Une seconde de plus et c'était trop tard ! Quelle journée !

Le train est bondé. Après avoir traversé deux voitures, les trois amies trouvent enfin de la place, à côté d'une pâle jeune fille.

Bess et Marion se mettent à parler de leurs divers achats et, en particulier, du flacon, dont le parfum, à travers le papier, leur semble très joli.

Alice, la tête appuyée au dossier de la banquette, observe ses voisins. La jeune fille assise en face d'elle l'inquiète. Elle a l'air tellement fatiguée.

— Pourquoi est-ce que tu ne dis rien, Alice ? s'étonne Bess.

— Je me repose, répond Alice.

Elle se garde de donner la raison de son silence, parce que Marion et Bess la taquinent toujours à propos de sa manie de scruter les visages inconnus. C'est cette curiosité qui a entraîné Alice dans bien des aventures.

Au bout d'une heure, le chef de train annonce : « River City ! »

À ces mots, la pâle voisine se redresse et s'empare d'une petite valise.

— Tiens ! Elle descend ici, murmure Alice à l'intention de ses amies.

Bess et Marion acquiescent sans y attacher d'importance et, hâtivement, saisissent tous leurs paquets. Marion se dresse sur la pointe des pieds pour atteindre un sac en papier posé sur le porte-bagages.

— Fais attention ! dit Alice en la voyant prendre le sac par le fond.

Mais, l'avertissement vient trop tard. Marion tire le paquet et le contenu du sac se répand à terre avec un grand bruit.

— Le parfum ! s'exclame Bess, catastrophée. Il était dedans !

Marion se baisse. Malheureusement, le flacon s'est brisé en mille éclats. Impossible de sauver la moindre goutte de parfum.

— Cinquante dollars volatilisés par pure maladresse ! soupire Marion, navrée. Je suis vraiment désolée, Bess. Je ne savais pas que le flacon était dans le sac.

— Tout n'est pas perdu, dit en riant Alice. Regardez, ma chaussure est trempée. Je ne vais jamais réussir à me débarrasser de l'odeur qui plaît tant à Bess !

La lourde senteur a déjà envahi le wagon : incommodés, certains voyageurs ouvrent les vitres.

— Je suis contente de descendre au prochain arrêt, murmure Alice... Tout le monde nous regarde.

— La vendeuse n'avait pas tout à fait tort en nous disant qu'on regretterait notre achat, répond Marion. Il y a de quoi s'évanouir !

Absorbées par l'incident, les jeunes filles n'ont pas prêté attention à la petite voyageuse blafarde.

14

Mais lorsque Alice tourne la tête, elle la voit étendue sur la banquette, les yeux clos, le visage livide.

— Elle s'est évanouie ! s'écrie Alice en se penchant vers elle.

Alice la secoue doucement, mais la jeune fille ne donne pas le moindre signe de vie.

— Va voir s'il y a un médecin dans le train, dit Alice à Bess, debout à côté d'elle.

Déjà d'autres voyageurs se massent autour des amies. Bess revient bientôt, mais seule. Alice fait alors de son mieux pour ranimer la jeune fille. Elle lui frotte les mains, lui tape doucement sur les joues : enfin, à son grand soulagement, la jeune voyageuse finit par cligner des yeux.

Marion baisse la vitre afin que l'air frais redonne des couleurs à la pauvre inconnue, qui semble au plus mal.

— Qu'est-ce que je peux faire d'autre ? demande Marion.

— Reste à côté d'elle pendant que je vais chercher un peu d'eau.

Alice court vers les toilettes, imbibe un mouchoir d'eau ; elle longe le couloir central quand un homme l'arrête au passage. D'une voix inquiétante, il chuchote :

— Le chef vous a donné des instructions ?

Alice est interloquée. C'est la première fois qu'elle voit cet homme, elle en est sûre, car elle n'aurait pas oublié cette expression brutale, ces traits grossiers, ces yeux gris acier qui la scrutent. Sous l'effet de la surprise, Alice a perdu son habituelle présence d'esprit.

L'inconnu comprend tout de suite sa méprise.

— Excusez-moi, marmonne-t-il en s'écartant pour la laisser passer, je vous ai confondue avec quelqu'un d'autre. C'est ce parfum... Oh ! Ne faites pas attention à ce que je dis !

## chapitre 2

# *Une nouvelle amie*

Alice regarde l'inconnu avec étonnement, se demandant ce qu'il a voulu dire. Une chose est certaine : il l'a prise pour une autre et, si l'erreur n'a rien d'extraordinaire en soi, le comportement de l'homme, lui, l'est. Quel message attendait-il ? Pourquoi a-t-il fait allusion au parfum comme si c'était la cause de sa méprise ?

Dans d'autres circonstances, cette rencontre aurait inquiété Alice. Mais, pour le moment, l'essentiel est de secourir la jeune voyageuse avant l'arrivée à River City. Elle reprend donc sa course vers l'extrémité du wagon où, à sa grande joie, elle voit la malade assise sur la banquette, soutenue par Bess et Marion.

— Comment vous sentez-vous ? dit Alice en lui passant le mouchoir mouillé sur le front et les mains.

17

— Mieux, merci, murmure la voyageuse.

Elle se tait un moment, puis d'une voix plus ferme reprend :

— Quelle idiote j'ai été de m'évanouir ! Merci de vous être occupées de moi !

— C'est la faute de ce parfum ! déclare Marion. Une goutte, passe encore, mais un flacon entier, il y a de quoi assommer tout un régiment !

— Non ! Le parfum n'a rien à voir avec ça, réplique la jeune fille. Je ne me sens pas dans mon assiette depuis ce matin.

Le convoi ralentit. Alice et ses amies savent qu'il faut qu'elles se dépêchent si elles ne veulent pas rester bloquées dans le train jusqu'à la ville suivante. Alice prend la main de la jeune voyageuse comme pour lui donner du courage.

— Nous descendons à River City, dit-elle.

— River City ? Déjà ! C'est là que je descends, moi aussi.

— Tant mieux, dit Alice. Nous allons pouvoir vous aider alors. Vous vous sentez en état de marcher ?

— Oui, oui, ne vous inquiétez pas. Je suis désolée de vous donner tout ce mal.

Alice s'empare du sac de voyage de la jeune inconnue, tandis que Bess et Marion se chargent des autres paquets. Sur la place de la gare, la jeune voyageuse paraît hésiter.

— Je ne connais pas la ville, dit-elle. Le centre est loin d'ici ?

— Vous ne pensez pas que vous devriez commencer par aller voir un médecin ? répond Alice. Vous pouvez à peine marcher. Vous n'avez pas d'ami dans le coin qui pourrait vous aider ?

La jeune fille secoue tristement la tête.

— Dans ce cas, je vous emmène chez moi, décrète Alice. Ma voiture est tout près d'ici.

L'inconnue veut protester, mais Alice et ses amies l'entraînent malgré elle jusqu'au cabriolet, où elles l'installent confortablement.

— Vous ne savez même pas qui je suis, dit la jeune fille en renversant la tête d'un air las contre le dossier de son siège. Je m'appelle Milly Barn et j'habite avec ma grand-mère à la ferme des Baies Rouges, près de Blackstone. Vous pouvez me tutoyer, vous savez...

À son tour Alice se présente, ainsi que ses amies. Marion et Bess s'étonnent que le nom de Roy ne représente rien pour Milly. Pourtant Alice et son père sont très connus à River City. James Roy a la réputation d'être un brillant avocat ; quant à Alice, malgré son jeune âge, elle a déjà résolu de nombreuses énigmes policières. Ayant perdu sa mère très tôt, elle a reporté toute son affection sur Sarah, la gouvernante qui l'a élevée, et sur son père, se passionnant très vite pour le métier qu'il exerce. Peu à peu, M. Roy a initié sa fille aux questions juridiques et, bientôt, elle a volé de ses propres ailes. Si elle sait rester suffisamment sérieuse pour résoudre des affaires importantes, Alice est également une jeune fille vive, enjouée, toujours prête à rire et à plaisanter.

Elle semble presque ignorer combien elle est ravissante avec sa taille fine, ses grands yeux bleus rieurs, ses traits gracieux et ses boucles dorées.

— Toi aussi, tu devrais nous tutoyer ! On doit avoir à peu près le même âge... En tout cas, ça doit être vraiment agréable d'habiter une ferme, dit Bess avec une pointe d'envie – surtout quand elle a un si joli nom ! Les Baies Rouges, ça fait rêver.

— La ferme aussi est jolie ! répond Milly. J'ai toujours vécu là-bas. Malheureusement, elle n'est plus aussi pimpante que dans le passé.

— Quel dommage ! dit Alice en allumant le moteur. Ta grand-mère et toi, vous n'arrivez pas à l'entretenir ?

— Nous n'avons pas assez d'argent, répond la jeune fille. C'est pour ça que j'ai quitté la ferme ce matin. J'espérais trouver du travail ici.

Alice fronce les sourcils d'un air pensif. Justement, elle a parlé la veille avec son père des possibilités d'emploi à River City.

— J'ai peur que tu aies du mal à trouver du travail à River City, dit-elle. Il y a de plus en plus de chômeurs.

— J'ai trouvé une annonce dans un journal et

je voudrais tenter ma chance. C'est un poste de secrétaire.

— Dans ce cas, c'est différent. J'espère que ça va marcher.

— Moi aussi, parce que sinon, on risque de perdre la ferme.

— Ta grand-mère n'a pas pensé à demander un prêt ? interroge Alice.

— Non. On a déjà emprunté beaucoup d'argent et ma grand-mère doit rembourser ses dettes au plus vite. À son âge, elle ne peut plus travailler, alors c'est à moi de me débrouiller. Ma grand-mère est une femme merveilleuse, mais elle a fait des mauvais placements à une époque, et elle a été obligée d'hypothéquer les Baies Rouges. Elle est rongée par les soucis. Si elle perd les Baies Rouges, il ne nous restera plus de quoi vivre.

Comme Milly achève le récit de ses infortunes, Alice s'engage dans le jardin de la maison où elle habite avec son père.

— On va prendre une tasse de thé, dit-elle, et essayer de trouver ensemble un moyen d'aider Milly.

Les trois jeunes filles suivent Alice à l'intérieur de la maison. Après les avoir installées au salon, Alice court à la cuisine pour demander à Sarah de leur préparer un goûter.

— Je ne sais pas toi, mais moi, je meurs de faim, dit-elle quelques minutes plus tard à Milly.

— Je mangerais bien un morceau, répond la jeune fille. Je n'ai rien avalé depuis hier soir.

— Qu'est-ce que tu dis ! s'exclament en chœur les trois amies.

— Oh ! C'est de ma faute, s'empresse de dire Milly. Ma grand-mère voulait que je déjeune ce matin, mais j'étais tellement angoissée à l'idée de me présenter pour ce travail que j'avais la gorge complètement nouée.

— Il ne faut pas s'étonner que tu te sois évanouie, alors ! dit Alice, apitoyée. Je vais demander à Sarah de te faire des œufs au jambon.

Refusant d'entendre les protestations de Milly, Alice court à la cuisine. Peu après, Sarah fait son apparition, portant à bout de bras un plateau très appétissant. Milly mange de bon cœur tout ce que lui sert sa jeune hôtesse, et Bess et Marion l'accompagnent avec tout autant de voracité.

— Merci beaucoup, dit enfin l'invitée, je me sens beaucoup mieux maintenant. C'est vraiment gentil de m'avoir amenée chez toi.

— Mais c'est normal, dit gentiment Alice. Ça nous fait plaisir de t'aider. Et j'aimerais pouvoir faire plus.

— Ne t'inquiète pas pour moi. Tout ira bien si j'obtiens le poste de l'annonce. Tu peux peut-être m'expliquer où se trouve cette adresse ?

Tout en parlant, elle sort de sa poche une coupure de journal et la tend à Alice.

— Mais, s'écrie celle-ci, ce n'est pas à River City que tu devais aller ! Il fallait descendre à la station suivante : River Hill.

— À la recherche, dit Alice, au bout du corridor.
Je vais réfléchir. Vous n'avez qu'à vous... » A
peine prononcé ces mots d'une demi-heure. On

Le visage de Milly s'éclaire aussitôt ; toute
changée à la simple pensée de ne plus être seule.

— Je ne pas, dit-elle avec une légère émotion.
... je n'y a pas aucune.

— Je souhaite vous les deux cottance, elle aime.

— Vous venez avec moi ?
...hoir, dit Milly... comme que la jeune fille
mit en marche vers la maison.

et souffrir... aux

## chapitre 3

# À la recherche d'un emploi

— Oh, non ! gémit la malheureuse jeune fille. J'ai confondu les deux noms.

— River Hill n'est qu'à quelques kilomètres d'ici, dit Alice, et les deux noms se ressemblent tellement que c'est facile de se tromper.

— C'est terrible ! reprit Milly. Il est déjà trop tard. Si je ne me présente pas aujourd'hui, je n'aurai sans doute aucune chance d'être engagée. Et il faut absolument que je décroche cette place !

Dans sa petite voix vibre une note de désespoir.

Alice ne sait pas trop pourquoi, mais elle se sent proche de cette jeune fille douce et résolue ; elle souhaite de toutes ses forces lui venir en aide. Elle se rend compte que non seulement Milly ne mange pas suffisamment, mais aussi qu'à force de soucis elle a les nerfs à vif. Si jamais elle n'obtient pas le poste, elle pourrait bien tomber malade.

— J'ai une idée, dit Alice au bout d'un moment. Je vais te conduire à cette adresse en voiture. Ça ne nous prendra pas plus d'une demi-heure. On arrivera à temps.

Le visage de Milly s'éclaire aussitôt ; toutefois elle hésite à accepter la généreuse proposition.

— Je ne voudrais pas abuser, proteste-t-elle.

— Ne dis pas de bêtises ! interrompt Alice. Allons, vite, en route. Il n'y a pas une minute à perdre !

Se tournant vers les deux cousines, elle ajoute :

— Vous venez avec nous ?

— Non, répond Bess, il faut que je rentre à la maison, maman va s'inquiéter.

Marion décline aussi l'invitation.

Elles rassemblent donc leurs nombreux paquets et montent dans le cabriolet, garé devant le perron. Alice les dépose au passage, puis elle prend la direction de River Hill avec Milly.

— Pourvu qu'on arrive à temps..., murmure Milly.

Alice ne répond pas, mais elle appuie à fond sur l'accélérateur. Elle espère que la jeune fille sera acceptée, mais craint qu'elle ne soit trop timide pour occuper ce poste de secrétaire. Avec tact, Alice cherche à savoir si les études ou les activités antérieures de Milly l'ont préparée à remplir un tel emploi. La passagère lui répond qu'après le lycée, elle a suivi quelques cours de

26

dactylographie. C'est tout... et bien peu, songe Alice, inquiète.

— ... Jusqu'à ces derniers temps, je n'imaginais pas de gagner ma vie autrement qu'en cultivant la terre, continue Milly, comme si elle s'excusait. J'aidais Mamie à exploiter la ferme. On a un ouvrier agricole, mais il y avait suffisamment de travail pour tous...

Avec un sourire, elle montre ses mains abîmées par les durs travaux.

Bientôt, les jeunes filles entrent dans River Hill. Alice a un peu de mal à situer la rue indiquée sur l'annonce. Le quartier ne lui plaît pas beaucoup, mais elle se garde de formuler sa pensée à haute voix.

— Nous sommes arrivées, dit-elle en arrêtant la voiture devant un immeuble d'apparence peu engageante.

Milly serre les mains nerveusement, sans se décider à descendre.

— J'ai peur, murmure-t-elle, honteuse. Je ne sais pas ce que je vais raconter à la personne qui me recevra...

— Tu n'as qu'à lui dire que tu te sens capable de faire le travail... et, surtout, montre que tu es sûre de toi, même si ce n'est pas tout à fait le cas.

— Je vais être minable, j'en suis sûre.

— Tu veux que je t'accompagne à l'intérieur ?

— Ça ne t'ennuie pas trop ?

— Pas du tout !

Alice et Milly s'engouffrent donc dans l'immeuble. Comme indiqué dans l'annonce, elles s'arrêtent devant la porte 305.

— Tiens ! c'est curieux ! dit Alice, perplexe. Il n'y a pas de nom sur la porte. Ce ne doit pas être ici.

Après un moment d'hésitation, elles décident tout de même de frapper et d'entrer. La salle de réception est poussiéreuse et sommairement meublée. Alice a envie de rebrousser chemin, mais pour soutenir Milly, dont le désarroi fait peine à voir, elle décide de rester.

— Apparemment, le poste n'a pas encore été pourvu ! lui murmure-t-elle à l'oreille.

À ce moment, un homme sort d'un bureau voisin et dévisage les jeunes filles, l'air hostile. Il est grand et mince comme un fil de fer. Au sommet de son visage brillent deux yeux durs. Son costume aux couleurs criardes est de très mauvais goût. Face à lui, Alice, avec sa robe bleu et blanche un peu évasée, paraît d'une élégance rare.

— Oui ? dit-il, d'une voix on ne peut plus déplaisante.

Milly parvient à rassembler assez de courage pour tirer de sa poche la coupure de journal.

— Je viens... en réponse à cette annonce, bredouille-t-elle.

Alice croit discerner une fugitive lueur de soulagement dans les yeux de l'homme. Aussitôt, il détaille de son regard glacial la jeune fille, puis tourne les yeux vers Alice.

— Vous aussi, vous cherchez du travail ?

Alice secoue la tête.

— Non, j'accompagne Mlle Barn.

L'homme reporte son attention sur Milly.

— Entrez dans mon bureau. Je vous rejoins tout de suite, ordonne-t-il.

Milly jette vers Alice un regard affolé, mais elle obéit.

— Dites donc, vous, jette l'homme à Alice, ça ne vous intéresse pas un poste de secrétaire ? Avec quelqu'un comme vous, je pourrais travailler correctement.

— Je ne cherche pas de travail, merci, répond-elle sèchement.

L'homme s'apprête à répondre quand le téléphone sonne. Avec un grognement, il va répondre, en jetant un coup d'œil agacé à Alice.

— Allô ! dit-il. Oui, c'est Ralph. Qu'est-ce que tu veux ?

Alice ne prêterait pas attention à la conversation si toute l'affaire ne lui paraissait pas douteuse. Elle est surprise de voir l'homme prendre une feuille de papier et gribouiller une longue suite de chiffres. Sans cesser d'écrire, il surveille Alice avec une inquiétude visible, comme s'il craignait qu'elle ne découvre quelque chose.

— C'est bon ! Tu dis que tu as trouvé la perle des employées ? Parfait ! On n'est jamais trop prudent dans ce genre d'affaire, marmonne-t-il enfin, avant de raccrocher.

Pendant ce temps, Alice se demande en quoi peuvent consister les occupations de cet homme déplaisant. De toute façon, si son associé – si c'est bien son associé au bout du fil – a engagé une secrétaire, Milly n'a plus aucune chance d'obtenir la place. Et Alice ne le regrette absolument pas.

— Je notais les cours de quelques valeurs, dit l'homme en affichant un air faussement désinvolte. Le cours de la bourse est en baisse, depuis deux jours.

— Vous vous occupez d'investissements ? s'informe Alice.

— Pas exactement, répond-il avec un sourire sarcastique. Disons plutôt que nous nous occupons de produits finis.

— Ah oui, dit Alice qui, à vrai dire, trouve la réponse plutôt vague.

Elle ne peut résister à la tentation de pousser l'homme dans ses retranchements.

— De quels produits s'agit-il ?

L'homme fait semblant de n'avoir pas entendu, et se dirige vers le bureau où l'attend Milly. Dans sa précipitation, il oublie la feuille sur laquelle il a écrit les chiffres.

Alice n'a pas l'habitude d'être indiscrète, mais

elle se sent une responsabilité à l'égard de Milly. Si par hasard l'homme décidait de l'engager, il vaudrait tout de même mieux savoir en quoi consiste l'affaire qu'il dirige.

La jeune fille s'approche du bureau sur la pointe des pieds et parcourt du regard les chiffres écrits à la suite les uns des autres : 009, 88...96, 484, ..0, 65, 24.30, 9, 51...

« Qu'est-ce que ça peut bien signifier ? se demande-t-elle. En tout cas ce ne sont pas les cours de la Bourse. Il n'avait pas besoin de me mentir, je ne lui posais pas de questions à ce moment-là. Il a dû avoir peur que je découvre quelque chose. »

Une fois de plus, Alice sent qu'un mystère pointe le bout du nez. Il lui faut coûte que coûte le percer. Et si ces chiffres étranges constituaient un message codé ?

Sans quitter le bureau du regard, Alice arrache d'un bloc-notes une feuille de papier et recopie rapidement les chiffres en prenant soin de respecter leur disposition. Les voix de Milly et de l'homme lui parviennent par la porte entrebâillée et, à en juger d'après leurs intonations, l'entretien, plutôt orageux, arrive à sa fin.

— D'ailleurs, dit sèchement l'homme, vous ne correspondez pas au profil que je recherche. Il me faut quelqu'un qui ait plus d'aplomb. En puis, vos connaissances ne sont pas suffisantes.

Un bruit de chaise repoussée signale à Alice

qu'elle n'a pas le temps de copier d'autres chiffres. D'un geste vif, elle glisse la feuille déjà noircie dans son sac et regagne la chaise sur laquelle elle était assise pendant que l'homme téléphonait. Bonne comédienne, elle fait semblant d'être très calme, alors que son cœur bat la chamade.

Elle voit l'homme dénommé Ralph entrer, jeter un coup d'œil à la table et sursauter à la vue de la feuille étalée près du téléphone. Il traverse la pièce d'un pas rapide et enfouit précipitamment le papier dans la poche de son pantalon. L'air innocent, Alice regarde Milly.

— Il vaut mieux y aller ! dit celle-ci à voix basse.

Alice s'aperçoit que sa nouvelle amie se retient pour ne pas pleurer. Elle-même a hâte d'être loin de cet endroit suspect, mais il ne faut pas que cela se voie. Elle quitte l'homme avec une froide politesse, puis s'emparant du bras de Milly, elle sort de la pièce, consciente qu'un regard inquiet observe ses moindres gestes.

## chapitre 4

# Soupçons

— Je crois qu'il n'y a rien à regretter, dit gentiment Alice à Milly. Tu aurais été très malheureuse ici.

— Cet homme est odieux, tu as raison, répond Milly. Il a été d'une telle brutalité !

— Il avait déjà engagé une autre personne. En tout cas, c'est ce que j'ai cru comprendre d'après ce qu'il disait au téléphone.

Alice préfère garder le silence sur le reste de la conversation à laquelle elle a assisté. Après tout, elle peut très bien se tromper. Même si les chiffres correspondent à un message codé, cela ne veut pas dire que l'affaire est douteuse.

— Qu'est-ce que je vais devenir maintenant ? murmure Milly, désespérée. Je ne peux pas retourner aux Baies Rouges après cet échec. Il faut que je trouve du travail.

— Tu pourrais revenir avec moi à River City ? propose Alice comme elles approchent du cabriolet. Tu dormiras à la maison et demain matin on réfléchira à la question.

Milly secoue la tête. Sa fierté lui interdit d'accepter l'hospitalité qu'Alice lui offre si gentiment.

— Non, tu en as déjà fait assez pour moi. Il me reste encore un peu d'argent. Je vais trouver sans problème une petite pension de famille pas trop chère.

Alice n'a aucune envie d'abandonner cette jeune fille si fragile. Elle a besoin d'une bonne nuit et d'un bon repas. Mais la détective a beau insister, Milly refuse catégoriquement.

— Je veux me remettre à chercher du travail dès demain matin, conclut Milly. D'après ce que tu m'as dit, j'ai plus de chance d'en trouver ici qu'à River City.

— C'est sûr, convient Alice.

— S'il n'y avait pas ma grand-mère, je reprendrais le premier train pour Blackstone. Mais je ne veux pas la décevoir !

Il commence à se faire tard et Alice arrive tout de même à convaincre Milly de l'accompagner pour trouver une chambre Mais cela s'avère difficile car Milly ne peut pas payer très cher et les hôtels les plus abordables sont souvent les plus sordides. Elles finissent par trouver une chambre très propre dans une modeste auberge qui donne sur une rue calme. Rassurée sur le sort de sa protégée, Alice lui dit au revoir.

— Je viendrai probablement te voir demain, lui dit-elle.

— Merci ! Ça me donnera du courage.

— Surtout ne te laisse pas abattre par ce qui s'est passé aujourd'hui. Demain est un nouveau jour.

Alice reprend la route de River City, l'esprit occupé par les événements de la journée. La situation précaire de Milly l'inquiète.

« Comment est-ce que je pourrais les aider, sa grand-mère et elle ? » se demande-t-elle.

Bien qu'il soit déjà tard quand elle rentre dans River City, elle ne peut résister à la tentation de faire un détour par la maison des Taylor pour raconter ses dernières péripéties à Bess et Marion.

— Milly doit être bien triste ! dit Bess. Elle est tellement gentille ! J'aimerais la connaître un peu mieux.

— J'ai l'intention de retourner à River Hill demain ; tu pourrais m'accompagner.

— Excellente idée ! approuve Marion avec enthousiasme. Je me joins à vous ! Te connaissant, tu vas encore te retrouver plongée dans une aventure invraisemblable. On ne va pas s'ennuyer !

Alice sourit. Que diraient ses amies si elle leur parlait du message chiffré qui a éveillé ses soupçons ? Elle préfère toutefois en discuter d'abord avec son père dont elle connaît le jugement toujours éclairé.

Alice quitte donc ses amies et se dépêche de rentrer chez elle.

— Tu as l'air fatigué, ma chérie, remarque James Roy en la voyant entrer. Je parie que tu as dévalisé les magasins.

Sur le même ton de plaisanterie, Alice lui répond qu'elle a désormais des dettes dans toutes les boutiques de la ville. Puis, se laissant tomber sur le divan, elle passe la main dans ses cheveux, l'air las.

— Quelle journée ! soupire-t-elle.

M. Roy ne relève pas cette remarque parce qu'au même moment il sent le parfum qui imprègne une chaussure d'Alice.

— Qu'est-ce que c'est que cette odeur ? lui demande-t-il.

— C'est une essence orientale. Rassure-toi, papa, je n'ai pas l'intention de me transformer en parfumerie ambulante.

Et elle lui raconte l'incident du flacon brisé dans le train, sans omettre la plus bizarre de ses conséquences : la réaction de l'homme à la mine peu engageante.

— Qu'est-ce que tu en penses ? dit-elle à son père.

M. Roy secoue la tête en signe d'ignorance.

— Je ne comprends pas plus que toi pourquoi

cet inconnu t'a demandé si tu avais un message du chef. Tu es bien sûre que c'est le parfum qui a attiré son attention ?

— Sûre et certaine, renchérit Alice. Je trouve qu'il avait tout l'air d'un malfaiteur.

— Hum ! hum ! dit M. Roy. Tout ça ne me dit rien qui vaille.

— Pourquoi ? Il n'y a pas de raison de s'inquiéter. Je ne reverrai jamais cet homme. Dès qu'il a compris son erreur, il est parti sans demander son reste. D'ailleurs, il n'est pas descendu à la même gare que nous. Je l'ai surveillé.

— Eh bien tant mieux.

— Si la vendeuse n'avait pas fait tant de manières pour garder ce parfum, je n'y penserais plus, reprend Alice, l'air soucieux. À ton avis, pourquoi est-ce qu'elle ne voulait pas le vendre ?

— Tu sais, il y a des vendeuses qui sont désagréables juste par plaisir. Ça arrive parfois. Je ne crois pas qu'il y ait un lien entre les deux incidents.

— Si tu le dis..., répond Alice.

Elle a l'air si peu convaincue que M. Roy juge bon d'ajouter :

— Tu es fatiguée, ma chérie, et tu ne vois plus les choses objectivement. Tu n'as aucune raison de te tourmenter.

Alice sourit.

— Ce n'est pas ça qui m'inquiète, dit-elle. Attends que je te raconte la suite...

Elle commence alors à relater l'évanouissement de Milly Barn et leur court séjour à River Hill. Puis elle lui tend la feuille où elle a copié les chiffres qui l'ont tant intriguée.

— Ce n'est qu'une partie du message – parce que je suis persuadée que c'est bien un message. Je n'ai pas eu le temps de noter le reste.

M. Roy prend la feuille et l'étudie un instant. Ses doigts vont et viennent, passant sur un chiffre, puis sur un autre.

— Je ne suis pas un expert en codes, mais, en effet, ça me paraît suspect.

— Moi qui espérais que tu saurais déchiffrer ces signes ! murmure Alice, déçue.

— Non, d'autant que ce code m'a l'air particulièrement complexe. Il faudrait des heures pour le traduire, et je suis débordé de travail en ce moment. Il va falloir que tu te mettes toi-même au travail !

— C'est ce que je comptais faire, répond Alice, mais je ne connais rien à la cryptographie.

— Je vais te prêter un livre sur le sujet : ça t'aidera un peu, mais pas beaucoup, je le crains, parce que tout code digne ce nom est différent des autres. Mais ils ont des caractères communs. Par exemple, dans n'importe quelle langue, certaines lettres reviennent plus souvent que les autres : il suffit de les croiser avec les chiffres que tu rencontres le plus fréquemment dans le message ; ça peut être un peu long, mais ce sera un bon départ...

— Oh ! là ! là ! Je ne vais jamais y arriver, gémit Alice à qui cette explication paraît très embrouillée. Ça va être un véritable casse-tête.

— Ce sera difficile, c'est sûr, mais pas impossible. Et tu apprendras beaucoup en t'y attelant. Mais si vraiment tu ne t'en sors pas, je peux te donner l'adresse d'un spécialiste en qui j'ai toute confiance. Il habite à Norwick, à une centaine de kilomètres de Blackstone.

— Je vais d'abord essayer toute seule, déclare Alice avec détermination. Mais avant, je voudrais te demander une faveur.

— Quelle faveur ? Avec toi, je me méfie...

— Est-ce que tu as moyen de savoir en quoi consistent les affaires de l'employeur dont je viens de te parler ?

— Je devrais pouvoir me renseigner, à condition que tu patientes un peu. Le procès de Clifford m'accapare en ce moment et je n'ai pas le temps de faire quoi que ce soit d'autre.

Sarah met fin à la conversation en venant annoncer que le dîner est servi.

Le repas terminé, M. Roy s'enferme dans son bureau pour travailler, tandis qu'Alice s'installe au salon avec un livre. Mais elle ne parvient pas à fixer son attention sur sa lecture. Sans cesse, sa pensée revient à Milly.

« Je ne regrette vraiment pas qu'elle n'ait pas été engagée par cet affreux personnage, se dit-elle. Oui, mais elle aurait peut-être découvert ce qui se trame dans ce bureau... Non, non, la pauvre ! Je vais trop loin. »

Refermant son livre, elle se retire dans sa chambre. Avant de se mettre au lit, elle veut encore jeter un coup d'œil aux mystérieux chiffres.

« Bah ! Inutile d'y travailler ce soir ! » se dit-elle au bout d'une minute.

Elle s'enfouit sous les couvertures et s'endort, loin de se douter que les codes vont lui faire perdre bien des heures de sommeil.

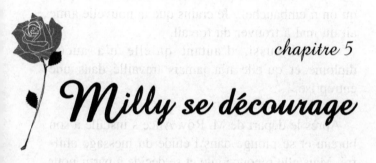

## chapitre 5

# Milly se décourage

Le lendemain matin, au petit déjeuner, M. Roy tend à sa fille un livre relié qu'il a sorti de sa bibliothèque.

— Merci, lui dit Alice, après en avoir feuilleté quelques pages. Mais je ne sais pas si je vais être très douée.

— Ne pars pas battue d'avance ! répond M. Roy avec un sourire. Tu as fait des choses plus difficiles que cela. À propos, ne m'attendez pas pour déjeuner, Sarah et toi.

— Dans ce cas, je resterai plus longtemps à River Hill. La pauvre Milly aura besoin d'être réconfortée. Elle est timide et s'effraie d'un rien. Tu ne connaîtrais pas quelqu'un qui pourrait lui fournir un emploi ?

M. Roy fait la moue.

— Tu sais, en ce moment, on licencie plus qu'on n'embauche... Je crains que ta nouvelle amie ait du mal à trouver du travail.

— Moi aussi, d'autant qu'elle n'a aucun diplôme et qu'elle n'a jamais travaillé dans une entreprise.

Après le départ de M. Roy, Alice s'installe à son bureau et se plonge dans l'étude du message chiffré. Mais elle renonce vite et se décide à partir pour River Hill.

Elle passe chercher Bess et Marion et, à deux heures et demie précises, elle s'arrête devant la pension de famille où Milly a loué une chambre.

En réponse au coup de sonnette, la propriétaire vient ouvrir.

— Mlle Barn est là ? demande Alice.

— Non, elle est sortie il y a deux heures environ. Elle m'a demandé de vous dire qu'elle serait de retour à trois heures.

— Nous sommes arrivées plus tôt que prévu, explique Alice. On va l'attendre.

La logeuse les invite à entrer dans un petit salon, dont la porte est ouverte. Mais il paraît si sombre que les trois amies préfèrent rester dans le cabriolet.

— Pauvre Milly ! dit Alice. C'est triste pour elle d'être là. Elle aurait besoin de plus de gaieté.

— Il y a quelque chose qui m'inquiète, dit Bess.

Elle est habituée à vivre au grand air dans un climat très sain et pourtant elle a l'air de ne pas manger à sa faim et d'être malade. Qu'est-ce que cela sera quand elle aura passé des mois à la ville !

Un quart d'heure plus tard, les jeunes filles aperçoivent Milly au bout de la rue. Elle ne remarque pas le cabriolet, car elle marche la tête baissée, comme si elle portait un lourd fardeau.

— À mon avis, elle n'a pas trouvé de travail, murmure Bess.

Lorsque la jeune fille est toute proche, Alice l'appelle. Milly lève la tête et sourit.

— Alors ? fit Bess.

— Rien du tout ! répond Milly, feignant l'insouciance. J'ai fait une bonne douzaine de démarches, sans résultat. Mais je ne me décourage pas. Je recommencerai demain matin. Ce soir, je suis trop fatiguée.

Devant une telle volonté, les trois amies ne peuvent que l'encourager, même si elles voient bien que Milly n'a aucune idée des difficultés qui l'attendent.

— Ça te dirait une promenade en voiture avec nous ? propose Alice.

— Avec plaisir ! L'atmosphère est tellement étouffante dans ma chambre que...

Elle se mord les lèvres et se corrige.

— Il fait très lourd aujourd'hui.

Alice choisit une route qui débouche dans la

campagne. Des deux côtés s'étendent des champs de blé et d'avoine. Peu à peu, le visage de Milly s'épanouit.

— J'adore la campagne ! murmure-t-elle en regardant avec nostalgie une maison nichée au pied d'une colline. Vous voyez cette ferme ? Elle ressemble aux Baies Rouges, en moins jolie. Vous devriez venir nous rendre visite un jour !

— Excellente idée, répond Alice.

— J'ai toujours rêvé de passer mes vacances dans une ferme, renchérit Bess. Boire du lait frais, tout mousseux.

— Ah non ! Arrête avec la nourriture ! s'écrie l'impitoyable Marion. Tu ne saurais même pas faire la différence entre une vache et une brebis.

— Il n'y aurait pas ce problème aux Baies Rouges, dit en souriant Milly, parce que nous n'avons que quelques vaches. Nous vivons surtout des récoltes.

Après avoir déposé Milly devant sa pension de famille, les trois amies reprennent le chemin de River City avec le sentiment que leur protégée a meilleur moral.

— On reviendra demain ou après-demain, lui a promis Alice au moment de la quitter.

À cause du mauvais temps, Alice et ses amies ne peuvent revenir que trois jours plus tard. Elles trouvent Milly complètement déprimée.

— Je ne sais plus quoi faire ! avoue-t-elle. On ne veut même pas de moi comme femme de ménage.

— Tu n'as pas assez de force pour ce genre de travaux, s'exclame Alice.

— Je suis prête à faire n'importe quoi, réplique Milly. Je ne peux pas supporter l'idée de perdre la ferme.

Alice, Bess et Marion échangent un regard désolé.

Sur la route du retour, les trois amies discutent longuement de ce qu'elles peuvent faire pour venir en aide à la malheureuse jeune fille.

— Elle ne va pas tenir longtemps, dit Alice, seule, dans une ville inconnue, sans argent et sans grand espoir de trouver un travail.

— Mais que faire ? murmure Bess. Elle n'acceptera jamais qu'on lui donne de l'argent. Elle est trop fière et c'est aussi ça qui la rend sympathique.

— Oui, reconnaît Alice. Je n'arrête pas de penser à elle. On va bien trouver un moyen de l'aider !

Le lendemain, Alice joue son va-tout et appelle un des clients de son père pour lui demander s'il n'aurait pas un poste libre dans sa société commerciale. Après avoir écouté poliment la requête d'Alice, il lui répond qu'il est obligé de réduire son personnel et a déjà licencié deux secrétaires.

— Nous traversons une période de crise,

conclut-il. Et malgré toute ma bonne volonté, je ne peux rien faire pour cette jeune fille.

Cet entretien ne fait que confirmer ce qu'Alice redoutait : tôt ou tard, Milly devra s'avouer vaincue et repartir chez elle. Ce sujet préoccupe tellement Alice qu'elle en oublie le fameux message codé.

Chaque jour, elle retourne à River Hill, où tant bien que mal elle essaie de remonter le moral de Milly. Enfin, un beau matin, celle-ci lui avoue qu'elle est à bout.

— Je n'en peux plus ! dit-elle au bord des larmes.

— J'ai une idée, répond Alice. Pourquoi ne pas transformer les Baies Rouges en auberge ?

— On a déjà essayé. Il y a deux semaines, Mamie a fait passer une annonce dans un journal, pour proposer des chambres mais ça n'a encore rien donné.

— Tout espoir n'est pas perdu.

— Je n'y crois plus, soupire Milly. Et puis, j'ai honte de moi. Je m'étais promis de ne rien dire à Mamie de mes démarches ici, mais, avant-hier soir, j'avais tellement le cafard que je lui ai écrit pour lui raconter mes malheurs. Dès que ma lettre a été postée, j'ai regretté de l'avoir envoyée.

— Il n'y a pas de raison. Je suis sûre que c'est ce qu'il fallait faire.

— De toute façon, je n'avais pas le choix. Je n'ai plus du tout d'argent.

À ce moment, on frappe à la porte. Milly va ouvrir.

— Voici une lettre pour vous, dit la logeuse avec un sourire un peu trop doux. Je vous l'ai montée tout de suite.

— Merci, répond Milly en prenant avec joie l'enveloppe qu'elle lui tend.

La logeuse reste dans l'encadrement de la porte ; elle espère sans doute que la jeune fille va ouvrir la lettre devant elle. Voyant qu'elle n'en fait rien, elle s'éloigne dans le couloir.

Milly referme la porte en disant :

— Cette femme n'arrête pas de m'espionner. Elle doit avoir peur que je ne lui paie pas la prochaine semaine d'avance.

Un coup d'œil au cachet de la poste lui apprend que la lettre vient de la Vallée Verte.

— C'est de ma grand-mère, murmure-t-elle, attendrie.

Elle se plonge dans la lecture et, au bout d'un moment, son visage s'éclaire.

— Elle me demande de revenir tout de suite, dit-elle à Alice. Plusieurs personnes ont répondu à son annonce, et arrivent aux Baies Rouges la semaine prochaine – pour peut-être rester tout l'été !

— Voilà une bonne nouvelle ! s'exclame Alice,

presque aussi heureuse que son amie. Finis les soucis ! Il ne te reste plus qu'à prendre le premier train
pour Blackstone.

Milly acquiesce d'un signe de tête, l'esprit déjà
ailleurs. Tout à coup, elle blêmit.

— Alice, je n'ai plus assez d'argent pour
prendre le billet de retour.

— Si ce n'est que ça, je peux arranger le problème.

— Non, non ! proteste Milly qui a aussitôt compris. Je ne veux pas que tu me prêtes de l'argent.
Je vais en gagner ou j'attendrai que Mamie m'en
envoie.

— Ça prendra trop de temps et elle a besoin de
toi. J'ai une meilleure idée, qui ne te coûtera pas
un sou. Ne me demande pas tout de suite ce que
c'est, parce qu'il faut d'abord que je règle quelques
détails.

— Alice, tu en as bien assez fait, ne t'inquiète
plus pour moi.

— Enfin, Milly, tu sais bien que ça me faisait
plaisir de venir te voir. Et puis, si mon idée fonc-
tionne, tu ne me devras rien du tout.

— Espérons que ça marche alors ! s'écrie Milly,
le visage radieux.

Alice se lève et lui dit :

— Prépare ta valise et sois prête à dix heures,
demain matin. Demain soir, tu seras dans les bras
de ta grand-mère.

*chapitre 6*

# Un visage connu

Le projet d'Alice est simple. Elle a l'intention de conduire Milly à Blackstone en voiture et d'emmener Bess et Marion avec elle. Puisque celles-ci ont envie de passer des vacances à la campagne, c'est l'occasion rêvée, d'autant que trois pensionnaires de plus seront certainement les bienvenues aux Baies Rouges.

Mais avant tout, il faut convaincre son père. Le soir, au cours du dîner, elle le sollicite.

— C'est une excellente idée ! dit aussitôt M. Roy. En plus, je dois m'absenter quelques jours et ça m'aurait ennuyé de te laisser seule aussi longtemps. D'ailleurs, un peu de repos et d'oxygène ne te feront pas de mal.

Bess et Marion n'hésitent pas un seul instant quand Alice leur fait part de son idée. Au diable leurs projets pour cet été ! Il est donc décidé que les quatre jeunes filles prendront la route de la Vallée Verte le lendemain matin.

— C'est bien beau tout ça, dit en riant Alice, mais il faudrait peut-être que j'en touche un mot à Milly... Bah, de toute façon, s'il n'y a pas de place pour nous à la ferme, ou si sa grand-mère n'a pas envie de nous accueillir, on pourra toujours repartir.

Alice fait sa valise le soir même. En la bouclant, elle aperçoit sur sa table la feuille de bloc-notes couverte de chiffres.

« Je n'aurai sans doute pas le temps d'essayer de déchiffrer ce message, se dit-elle, mais je peux toujours l'emporter. »

Le lendemain, à neuf heures et demie, Alice atteint déjà les faubourgs de River Hill où les rues sont bordées d'immeubles vétustes. Elle s'arrête dans une station-service pour faire le plein et vérifier le niveau d'huile. Tandis que le pompiste s'affaire autour du cabriolet, Alice se promène de long en large, s'amusant à regarder les passants.

Soudain, un visage retient son attention. Elle sait qu'elle l'a déjà vu.

« Est-ce que je suis en train de rêver ? » se demande-t-elle, éberluée. Mais non, ce sont bien les mêmes pommettes saillantes, le même teint, la même démarche ondulante. Aucun doute n'est permis : la jeune femme qui avance dans sa direction n'est autre que la vendeuse de la boutique orientale.

Arrivée à la hauteur d'Alice, la jeune femme poursuit son chemin sans la remarquer.

« Qu'est-ce qu'elle peut bien faire ici ? » s'interroge Alice, perplexe.

Poussée par la curiosité, elle suit de loin la promeneuse et la voit entrer dans un immeuble commercial, à quelques mètres de la station-service.

« Tiens... il me semble que c'est là que Milly s'est présentée le premier jour ! »

Se retournant, Alice voit que le pompiste s'occupe toujours de sa voiture ; il vérifie maintenant la pression des pneus. Elle a bien le temps de procéder à sa petite enquête.

Elle traverse la rue à vive allure, entre dans l'immeuble, qui lui paraît aussi sordide que la première fois. Les couloirs sont déserts. De toute évidence, la jeune femme est entrée dans un bureau. Mais lequel ? Alors qu'elle hésite, Alice aperçoit le concierge.

— Auriez-vous vu passer une jeune femme, il y a cinq minutes à peine ?

— Avec des yeux bridés comme une Chinoise ? demande l'homme en s'appuyant sur le manche de son balai.

Alice fait un signe affirmatif.

— Oui, c'est bien ça.

— Alors ça doit être Yvonne Wong.

— Vous la connaissez ?

— Non, mais j'ai entendu le courtier chez qui elle travaille l'appeler comme ça. Un homme à grosse voix avec des costumes bizarres.

— Elle travaille pour lui ?

— Oui ! C'est une nouvelle. Elle a commencé il y a deux jours.

— Je vois ! murmure Alice. Vous savez dans quel bureau elle est entrée ?

Le concierge commence à se lasser des questions d'Alice. Fronçant les sourcils, il bougonne :

— Bureau 305. Si elle vous intéresse tant, vous n'avez qu'à monter et l'interroger vous-même.

— Merci, dit Alice, sans paraître remarquer la mauvaise humeur de l'homme. Excusez-moi de vous avoir dérangé.

Le brusque changement d'activité de la vendeuse intrigue Alice. Elle monte quelques marches puis, se ravisant, redescend, et, son plus aimable sourire aux lèvres, elle s'approche du concierge.

— À propos, dit-elle, est-ce que vous savez de quoi s'occupe ce courtier ?

L'homme la dévisage d'un air soupçonneux.

— Et comment est-ce que je le saurais ? dit-il. On ne me paie pas pour fourrer mon nez dans les affaires des autres. J'ai assez de travail comme ça !

Voyant qu'elle n'obtiendra plus le moindre renseignement, Alice sort de l'immeuble.

« Ce courtier et cette Chinoise me paraissent de

plus en plus louches », se dit-elle en regagnant la station-service.

Elle se rappelle que, pendant son entretien téléphonique, Ralph avait fait allusion à une jeune employée engagée par son interlocuteur. Et puis cette remarque : « On n'est jamais trop prudent dans ce genre d'affaire. » Si Yvonne Wong a obtenu le poste, ce n'est sans doute pas par hasard.

« Il y a quelque chose de bizarre dans tout ça..., songe Alice. Si on ne partait pas immédiatement pour les Baies Rouges, je pousserais mon enquête plus loin. »

L'heure tourne. Alice ne peut s'attarder davantage si elle veut arriver à destination avant la nuit. Après avoir payé le pompiste, elle grimpe dans sa voiture pour se rendre en toute hâte à la pension de famille de Milly.

La jeune fille l'attend. Alice lui détaille aussitôt son plan et, à sa grande joie, Milly paraît ravie.

— Nous allons beaucoup nous amuser, déclare-t-elle avec enthousiasme. Et grand-mère sera enchantée de vous garder aussi longtemps que vous voudrez.

— À une seule condition, dit Alice, c'est que nous payions notre séjour.

— On verra ça plus tard..., répond Milly en souriant.

Elles placent la valise de Milly dans le coffre et, peu après, elles arrivent à River City. Bess et

Marion les attendent sur le perron des Taylor. Dix minutes plus tard, les quatre amies font route vers la Vallée Verte.

Alice fait part à ses amies de sa rencontre inopinée avec la vendeuse orientale et de ce qu'elle a appris à son sujet. Les autres s'en étonnent mais se laissent bientôt captiver par la beauté du paysage qui défile le long de la route.

Dans l'esprit d'Alice, les pensées se bousculent. Elle voit défiler les pièces d'un puzzle qui l'intrigue de plus en plus : le message chiffré, le parfum oriental, la vendeuse aux yeux bridés, l'annonce parue dans les journaux, l'inconnu du train, le courtier à l'élégance criarde.

Va-t-elle réussir à assembler les différents morceaux de ce casse-tête ?

# Un arrêt sur
# la route

Alice et ses amies profitent bien du voyage. La route serpente à travers de petits bois et longe des lacs aux eaux limpides. Chaque crête de colline leur dévoile un paysage toujours plus beau.

Au fur et à mesure que le cabriolet s'éloigne de la ville, Milly respire plus profondément l'air pur, son visage s'épanouit peu à peu et elle se met à rire des plaisanteries que Bess et Marion commencent à échanger.

— Je suis surexcitée à l'idée de rentrer chez moi ! murmure-t-elle soudain.

Elle parle alors de sa ferme.

— Vous vous y plairez, j'en suis sûre, déclare-t-elle avec une conviction touchante. Nous n'avons malheureusement pas de chevaux, mais il y a des dizaines d'autres choses à faire. On pourra aller explorer la grotte.

Au mot de grotte, les deux cousines dressent l'oreille.

— La grotte ? Quel genre de grotte ? Un repaire d'ours ? De chauves-souris ? Ou le refuge de dangereux pirates ?

Milly éclate de rire.

— C'est une espèce de grande caverne qui se trouve sur les terres de ma grand-mère, dit-elle. On n'en connaît pas l'origine, mais certains disent qu'elle a sans doute été creusée par une ancienne rivière souterraine.

— Mais tu l'as sûrement explorée ! s'exclame Alice.

— Oui. Mais je ne suis jamais allée très loin et ça fait des années que je ne m'en suis pas approchée. Quand j'étais petite, je croyais que c'était un monstre et j'avais peur de son énorme gueule noire qui semblait prête à me dévorer. Plus tard, je n'ai plus eu le temps de m'en préoccuper.

— On ira la visiter, décrète Marion. J'adore les antres sombres et humides !

— Eh bien pas moi ! dit Bess.

Elle a une mine tellement horrifiée qu'elle déchaîne les rires des trois autres..

— Qui sait ? On va peut-être trouver un trésor caché par des brigands il y a des siècles ! poursuit Alice quand elle retrouve son sérieux.

— Ça ferait notre affaire ! s'écrie Milly.

Le soleil est haut dans le ciel. Les jeunes filles s'aperçoivent que l'heure du déjeuner est passée.

— Je commence à avoir un creux, annonce Marion.

— On va s'arrêter dans la prochaine ville, propose Alice. Bess, regarde sur la carte si c'est loin.

Après avoir consulté la carte, Bess répond :

— Cairn est à vingt-cinq kilomètres environ. Ça fait loin ! Et moi qui meurs de faim...

— Je ne voudrais pas avoir ta mort sur la conscience, dit Alice. Guettons la première auberge qui nous paraîtra convenable. Et puis, de toute façon, il faut que je fasse le plein d'essence.

Bientôt, elles arrivent en vue d'une station à laquelle est accolé un restaurant d'apparence accueillante. D'un commun accord, les filles décident de s'y arrêter.

— Tu dois être épuisée, dit Milly à Alice. Je ne pourrais jamais conduire aussi longtemps sans me reposer !

— C'est une question d'habitude, répond Alice. Je suis un peu engourdie, mais après un bon repas je serai requinquée.

Les quatre voyageuses entrent dans la grande salle du restaurant et s'installent autour d'une petite table blanche, décorée de fleurs des champs. Le menu n'étant pas très alléchant, elles commandent des sandwiches, une omelette et une pêche melba.

Bien qu'elles soient les seules clientes à cette

heure tardive, la serveuse est d'une lenteur exaspérante. Après avoir jeté plusieurs coups d'œil à sa montre, Alice se lève.

— Si ça ne vous dérange pas, dit-elle à ses amies, je vais faire le plein d'essence. Ça nous fera gagner un peu de temps.

— Dépêche-toi alors, recommande Bess, parce que je crois qu'on nous apporte nos sandwiches.

— Commencez sans moi ! répond Alice.

Elle sort et demande à l'employé de remplir le réservoir mais, avant qu'il ait pu commencer, une voiture de sport puissante s'arrête devant l'autre pompe et le conducteur jette d'une voix rude :

— Vingt litres, et tout de suite, je suis pressé !

Le pompiste lève un regard interrogateur vers Alice.

— Vous permettez, mademoiselle ?

— Oui, occupez-vous d'eux d'abord, puisqu'ils sont si impatients.

Elle observe avec intérêt les occupants de la voiture. Les trois voyageurs ont une apparence assez commune malgré l'élégance de leurs vêtements. Alice ne peut pas voir les traits du conducteur parce qu'il a la tête tournée de l'autre côté.

Soudain, elle entend la même voix que tout à l'heure grommeler :

— Je vais acheter quelques bouteilles de bière au restaurant.

Comme il met pied à terre, Alice aperçoit le

visage du conducteur. Elle se rend compte avec stupeur que c'est celui de l'inconnu qui l'a accostée dans le train. Chose encore plus étonnante, il répand derrière lui une faible odeur de parfum oriental.

Alice préfère ne pas être vue. Elle détourne vivement la tête et fait semblant d'être absorbée par la carte de la région.

Quand l'homme a disparu à l'intérieur de l'auberge, elle surveille du coin de l'œil ses deux passagers. Comme dirait M. Roy, ça a l'air d'être des « durs ».

Elle n'a cependant pas l'occasion de les examiner plus longtemps parce que le conducteur ressort déjà, des bouteilles sous les bras. Il s'adresse rudement au pompiste :

— Alors, c'est pas encore fini ? Dépêchez-vous un peu, on n'a pas que ça à faire !

Il tend une bouteille à chacun de ses compagnons.

— Prends ça, Maurice, et toi aussi, Hank. Je vais payer !

Alice sursaute. Hank ! Ce nom lui rappelle quelque chose.

« Mais oui, c'est celui de l'individu qui a téléphoné au courtier du bureau 305. Et si c'était le même homme ? » se demande-t-elle.

Son attention est de nouveau attirée vers le conducteur qui s'apprête à payer l'essence.

— Combien je vous dois ? dit-il au pompiste.

— Vingt dollars.

D'un geste désinvolte, le conducteur sort de sa poche une épaisse liasse de billets et en prend un de cent dollars.

— Vous êtes fou de vous promener avec autant d'argent sur vous ! dit le pompiste, éberlué.

Le conducteur rit grassement.

— On en a à la pelle, pas vrai, Hank ?

— Je te le fais pas dire ! répond l'autre. À côté du mien, son tas a l'air aussi plat qu'un pneu crevé. Tiens, regarde-moi ça !

Sur ces mots, il exhibe un énorme paquet de billets sous les yeux exorbités du pompiste.

— Eh bien, j'aimerais bien avoir autant d'argent ! soupire celui-ci. Attendez une minute, je vais chercher la monnaie.

Quand il s'est éloigné, le troisième voyageur grogne :

— Vous avez perdu la tête ! Bande de vantards ! Vous allez éveiller ses soupçons.

Il parle très bas mais Alice parvient tout de même à l'entendre.

— Maurice a raison, reconnaît le conducteur. Il vaut mieux rester prudents.

Le pompiste revient avec la monnaie que le conducteur empoche avant de démarrer en trombe. Bientôt la voiture n'est plus qu'un point noir à l'horizon.

## chapitre 8

# La ferme des Baies Rouges

— Je n'ai jamais vu ça ! dit le pompiste en reve-
nant près d'Alice. Ils doivent être millionnaires !

Alice ne répond pas. Une fois le réservoir de la
voiture rempli, elle se dépêche de regagner sa place
dans le restaurant.

— On a suivi ton conseil et on ne t'a pas atten-
due, lui dit Bess en guise d'excuse. Pourquoi est-ce
que tu as été si longue ?

— Une autre voiture est arrivée et le conducteur n'a pas voulu attendre. Je lui ai cédé mon tour.

— Notre omelette refroidissait, explique
Marion. Tu ne nous en veux pas trop ?

— Ne t'inquiète pas. J'aurais été gênée que
vous mangiez froid à cause de moi !

Alice se met à grignoter un sandwich, l'air tellement absent que Marion le remarque.

— Qu'est-ce qu'il y a ? lui demande-t-elle. Tu

as à peine prononcé trois mots depuis River City. On est en vacances quand même ! Détends-toi un peu !

Alice fait un effort et se joint à la conversation générale. Dès le repas terminé, les quatre jeunes filles se lèvent pour partir. Alice tient à régler l'addition.

— Comme ça, je pourrai faire de la monnaie sur le billet de cent dollars que papa m'a donné, dit-elle. Ce n'est pas pratique, les gros billets.

La caissière lui rend la monnaie et les jeunes filles se dirigent vers le cabriolet. Alice lève un regard inquiet vers le ciel.

— Il est temps de partir, dit-elle. Vous avez vu ces gros nuages là-bas ?

— Oui, on dirait qu'une averse se prépare, acquiesce Bess. La route est goudronnée jusqu'aux Baies Rouges, Milly ?

— Non, il faut quitter la nationale dix kilomètres avant l'arrivée et prendre un chemin de terre.

— Et on est encore loin ?

— Il y a encore trois bonnes heures de route, répond Milly, à condition qu'il ne pleuve pas.

— Malheureusement, je crois qu'on ne pourra pas y échapper..., dit Alice en mettant le contact.

Pourtant, le soleil continue à briller et les jeunes filles oublient leurs craintes. Bientôt, elles s'aperçoivent que le paysage a changé. Les collines sont plus hautes, les vallées plus profondes. La terre elle-même semble moins fertile, les fermes moins coquettes.

— Ta grand-mère n'aura peut-être pas de chambres pour nous, dit soudain Alice.

— Oh ! Rassurez-vous, nous avons plus de chambres que nous ne recevrons de pensionnaires et je serai là pour l'aider.

Alice roule vite parce qu'elle veut arriver avant l'orage. Mais le soleil disparaît, les nuages s'assombrissent et se font de plus en plus menaçants, l'air devient lourd.

— Cette fois, on est bonnes pour l'averse, dit Alice. Espérons qu'elle ne soit pas trop forte.

À ce moment, quelques gouttes frappent le pare-brise. À la hâte, les jeunes filles relèvent les vitres des portières. Trois minutes plus tard, la route est trempée. Alice doit ralentir pour ne pas déraper. Bientôt, le tonnerre et les éclairs se succèdent sans interruption. Des torrents d'eau tombent du ciel.

— Brr ! Brr ! Je déteste l'orage, se plaint Bess. Vous entendez ce vent ? On va être emportées si ça continue !

Devant elles, la route s'enfonce dans la forêt. Alice juge prudent de se garer sur le bas-côté. L'obscurité est si épaisse que les phares eux-mêmes ne parviennent pas à percer le rideau de pluie.

Soudain, un zigzag de feu déchire le ciel et

touche un grand chêne qui s'abat à deux ou trois mètres du cabriolet.

Bess pousse un hurlement de frayeur.

— J'ai peur, gémit-elle. Je suis morte de peur. C'est horrible !

— La voiture n'a même pas bougé, s'étonne Marion.

— Remercie les amortisseurs ! réplique Alice.

Bien qu'elle affiche un grand calme, Alice n'est pas très rassurée. Elle se rend compte que c'est de la folie de rester à proximité des arbres. Alors elle redémarre et conduit aussi vite qu'elle peut pour sortir de la forêt.

Les autres jeunes filles poussent un soupir de soulagement quand elles se retrouvent en rase campagne.

— Maintenant, dit Milly, il ne faut pas manquer le chemin de terre.

L'orage s'éloigne et le ciel s'éclaircit. Alice, qui a un peu ralenti, aperçoit le panneau sur lequel est indiqué Blackstone. Elle gare la voiture sur le bord de la route, à l'abri d'un arbre.

— Qu'est-ce que tu fais ? demande Bess, surprise.

— Le chemin de terre risque d'être très glissant. Il faut mettre les chaînes, ce sera plus prudent. Qui veut m'aider ?

Milly insiste pour se rendre utile. Quelques minutes plus tard, les deux courageuses jeunes filles remontent en voiture, les vêtements et les mains maculés de boue. Mais elles ne sont pas au bout de leurs épreuves : un nouvel orage menace. Peu de temps après, un déluge de pluie, des coups de tonnerre assourdissants, des éclairs aveuglants, contraignent Alice à limiter son allure à celle d'un escargot. Elle ne voit pas à trois mètres devant elle. Alors que le cabriolet aborde la crête d'une colline, Marion, assise sur la banquette avant, pousse un cri d'effroi.

— Attention, tu vas l'écraser !

Alice freine tellement brutalement que la voiture dérape et évite de justesse de se retrouver dans les champs.

— Écraser qui ? demande-t-elle. Tu as rêvé !

— Non... la femme... sur la route. Tu ne l'as pas vue ? Pourvu qu'elle ne soit pas sous la voiture !

Alice ouvre sa portière, Bess la sienne, elles se penchent, regardent sous les roues, sur la chaussée, dans le champ en bordure, sans rien voir.

— Tu as des visions ! dit Bess, furieuse de s'être fait mouiller sans raison.

Juste à ce moment, un éclair fulgurant illumine le paysage.

— Là-bas ! Regardez cette femme qui court dans l'herbe ! s'écrie Bess.

Les quatre jeunes filles poussent un soupir de soulagement.

— On n'a pas idée de se promener sous un tel orage aussi ! Je me demande bien où elle peut aller, dit Marion.

— Elle se dirige vers la caverne. Elle fait peut-être partie de ces drôles de gens qui y habitent..., répond Milly.

chapitre 9

# *Installation à la ferme*

Alice et ses amies ne relèvent pas la remarque de Milly. L'orage est passé aussi vite qu'il est venu. Le cabriolet atteint le sommet d'une haute colline et Milly tend le doigt vers une vallée qui s'étend au-dessous.

— Regardez, on voit les Baies Rouges d'ici.

Les jeunes filles promènent un regard émerveillé sur les vingt hectares qui composent le domaine. C'est de loin la ferme la plus attrayante qu'elles aient vue depuis le départ. Elles admirent les rochers aux formes sculpturales, les bosquets de pins, la rivière qui serpente au fond de la vallée. Après la pluie, tout semble plus vert, plus lumineux.

— Que c'est beau ! murmure Bess.

Le chemin descend dans la vallée et elles peuvent embrasser d'un seul regard la vaste grange à toit rouge, les dépendances, la maison principale élégamment habillée de vigne vierge. Des géraniums rouge vif égayent les fenêtres ; une barrière blanche, fraîchement repeinte, entoure la cour, et donne à l'ensemble un air accueillant. Partout des haies couvertes de baies rouges encadrent les vergers et les jardins potagers.

Alice arrête sa voiture dans la cour. Immédiatement, la porte de la maison s'ouvre et une femme aux cheveux blancs, habillée d'une robe noire et d'un tablier blanc, accourt à la rencontre des jeunes filles. Ses yeux bleus brillent de joie quand elle serre Milly dans ses bras.

— Ma petite-fille m'a écrit qu'elle vous doit beaucoup, dit-elle en se tournant vers les trois amies. Ce n'est pas la peine de vous présenter, je vous connais déjà par les descriptions que Milly m'a faites de vous. Je ne vous remercierai jamais assez. Avec le peu d'expérience que Milly avait, je ne sais pas ce qui lui serait arrivé, toute seule dans une ville inconnue !

Les éloges de Mme Barn embarrassent un peu les trois amies. Il est visible qu'elle aime Milly d'un amour très profond. Avant d'avoir pu répondre quoi que ce soit, Alice, Bess et Marion sont déjà invitées à séjourner aux Baies Rouges.

— Ah, non ! proteste Mme Barn en réponse à une phrase d'Alice. Je n'accepterai pas d'argent. Après tout ce que vous avez fait pour Milly...

Alice ne la laisse pas achever.

— Si vous ne nous laissez pas payer, nous repartirons dès demain, dit-elle.

À la fin, Mme Barn consent à les considérer comme des pensionnaires. Elle a l'air tout heureuse tandis qu'elle prépare avec Milly les chambres des trois amies. Bientôt, une délicieuse odeur de jambon fumé, de patates douces, de pâtisseries et de café se répand dans la maison. Les citadines se sentent aussitôt un appétit d'ogre. Décidées à ne pas se limiter à leur rôle de pensionnaires, elles insistent pour mettre le couvert avec Milly.

Le souper est un véritable régal. Mme Barn a le don de mettre tout le monde à l'aise. Voyant qu'Alice et les deux cousines hésitent à se resservir, elle les prie de faire honneur à sa cuisine.

— Je ne sais pas ce que vous avez, vous les jeunes filles d'aujourd'hui, dit-elle sur un ton de léger reproche. Vous voulez toutes être minces comme un fil. Regardez Milly : impossible de la faire manger convenablement. Vous avez intérêt à lui montrer l'exemple, pour qu'elle ait meilleur appétit.

Après le dîner, les quatre voyageuses tombent de sommeil. Elles disent bonsoir à Mme Barn et se retirent dans leurs chambres. Marion et Bess couchent dans la même chambre tandis qu'Alice partage celle de Milly.

— Que ça sent bon ici ! dit Milly.

— Oh non ! C'est encore ce parfum d'Orient qui est tombé sur ma chaussure dans le train, répond Alice. Je n'arrive pas à m'en débarrasser.

— Il valait peut-être ses cinquante dollars finalement, réplique Milly en riant de bon cœur.

Le lendemain matin, quand Alice se réveille, le soleil inonde la chambre et les moineaux chantent au dehors. Elle s'assied et constate que Milly est déjà levée.

Se sentant un peu coupable d'avoir dormi tard, elle saute de son lit et se prépare aussi vite que possible. Puis elle se précipite dans la chambre des deux cousines, qu'elle secoue malgré leurs protestations.

Il est à peine huit heures lorsqu'elles descendent. Milly et sa grand-mère partagent le petit déjeuner avec leurs invitées. Le repas est simple mais savoureux. Les trois amies se régalent de mûres fraîches recouvertes de crème et Bess avoue avoir avalé à elle seule sept toasts beurrés.

— Attention à ta ligne ! plaisante Marion.

Milly emmène ses amies faire le tour de la propriété. Elle leur montre ses fleurs, ses poulets, son lapin favori. Un dindon s'en prend à Bess et la force à se réfugier sous le porche de la ferme.

— N'aie pas peur ! lui crie Milly entre deux éclats de rire. Pauvre petit, il ne ferait pas de mal à une mouche.

Bess paraît vexée par les railleries d'Alice et de Marion. Ne voulant pas pousser la plaisanterie trop loin, Milly chasse l'insolent dindon.

— Nous n'avons pas beaucoup de bêtes, dit Milly en les conduisant à l'étable : six vaches et une vieille jument de trait. Pauvre vieille Lise, elle serait mieux à la retraite, mais Mamie n'a pas les moyens d'en acheter une autre.

Avec un sourire, Milly crie bonjour à l'ouvrier agricole.

Rudolph Snodgrass, les cheveux roux en broussailles, l'air méfiant, salue les jeunes filles par un vague :

— ... Jour... m'zelle !

Très timide, il se dandine d'un pied sur l'autre, sans savoir quoi dire. Pour ne pas trop l'embarrasser, Milly s'éloigne en disant à ses nouvelles amies :

— Rudolph est irremplaçable. Je ne sais pas ce qu'on deviendrait sans lui. Il travaille comme quatre sans jamais se plaindre.

Milly les emmène ensuite au verger. Là, Marion fait une démonstration de son agilité en grimpant au sommet du pommier le plus haut.

Enfin, elles se retrouvent devant le portail qui donne accès à la grande cour.

— Et la grotte ? demande Alice. Tu ne nous avais pas dit qu'elle se trouvait sur vos terres ?

— Oui, mais c'est sur une parcelle que Mamie a louée à quelqu'un.

— Dommage, répond Alice. Je suppose que nous ne pourrons pas visiter cette grotte.

— Mais si ! Ce n'est pas parce que le terrain est loué qu'on ne peut pas y aller.

Elle ajoute, l'ai préoccupé :

— Mais c'est vrai que ces gens sont un peu bizarres !

— Ces gens ?... Ils sont plusieurs ?

— Oui. En fait, je crois qu'ils appartiennent à une sorte de secte, qui pratique le culte de la nature, soi-disant. Le groupe s'appelle : « Les Fidèles du Chêne Centenaire ».

— Drôle de nom, dit Bess. Ça rappelle les druides...

— Je n'en sais pas beaucoup plus sur eux, reprend Milly. Mamie était si contente de pouvoir louer cette parcelle et gagner un peu d'argent qu'elle n'a pas fait d'enquête.

— Tu dis qu'ils vouent un culte à la nature ? demande Alice, intriguée. Tu sais ce qu'ils font de leurs journées ?

— Je n'en ai pas la moindre idée, avoue Milly. J'imagine qu'ils doivent vivre au grand air, cueillir des fleurs, faire de longues randonnées à pied dans la campagne.

— Et ils ont besoin de faire partie d'une organisation bizarre pour vivre au grand air ? fait observer Marion. Je suppose aussi qu'ils dansent autour d'un chêne dans l'herbe humide de rosée, vêtus de longues tuniques blanches...

— Tu ne crois pas si bien dire ! répond Milly en souriant. Je ne sais si la rosée est indispensable à leur culte, mais, en tout cas, ils dansent bel et bien autour d'un chêne, en robes blanches. Contrairement aux druides, ils ont le visage caché par une cagoule.

— Une cagoule ? s'étonne Alice. Quelle idée !

— C'est bizarre en effet, approuve Bess.

— Ils louent une grande surface ?

— Deux hectares seulement. Mais ils ont demandé à avoir accès à la rivière et à occuper la grotte comme ils l'entendent.

— Ils y habitent ? s'inquiète Marion.

— Je ne saurais pas te répondre. Je n'ose pas m'aventurer seule aux environs de leur campement. Mais si vous m'accompagnez...

— Quand est-ce qu'on pourrait y aller ? demande vivement Alice, qui flaire l'aventure.

— Il faut d'abord demander la permission à ma grand-mère, dit Milly. On ne peut pas risquer de perdre des locataires. Après tout, ils paient leur loyer tous les mois.

— Ça fait longtemps que cette secte est sur votre propriété ? s'enquiert Alice.

— Environ deux mois. Je n'ai vu aucun de ses adeptes de près.

— Mais s'ils ne vivent pas dans la grotte, où est-ce qu'ils vivent ?

— Dans des cabanes et des tentes plantées au bord de la rivière, peut-être aussi dans la grotte. Comme je vous le disais, je n'en sais rien.

— C'est étrange que tu n'aies jamais croisé personne..., remarque Alice, songeuse. Qui vous paie la location, alors ?

— On reçoit un mandat.

— De plus en plus bizarre... Ta grand-mère a bien dû rencontrer un des membres de la secte tout de même ?

Milly secoue la tête.

— Non. Toutes les négociations se sont faites par correspondance.

— C'est quand même surprenant comme manière de faire, non ? insiste Alice.

— Oui, reconnaît Milly, mais on avait tellement besoin d'argent qu'on n'y a pas attaché d'importance. Franchement, on aurait accepté n'importe quoi.

— Il y a beaucoup de membres dans la secte, à ton avis ?

— Oh ! oui. De loin, j'en ai vu plusieurs, hommes et femmes. En général, ils célèbrent leur culte longtemps après la tombée de la nuit.

Alice, Bess et Marion ont encore beaucoup de questions à poser mais, à ce moment, Mme Barn appelle sa petite-fille. Elle a besoin de son aide pour faire sortir les vaches de l'étable.

Abandonnées à elles-mêmes, Alice et les deux cousines errent dans le jardin, et cueillent des fleurs pour décorer la table de la salle à manger.

— À la place de Mme Barn, je n'aimerais pas avoir des individus aussi bizarres chez moi, dit Bess.

— Moi non plus, dit Alice. Mais, si elle avait tellement besoin d'argent, elle ne pouvait pas se montrer difficile.

— Vous savez, dit Bess, même si Mme Barn nous y autorise, je n'ai aucune envie de visiter cette caverne.

Des rires accueillent cette déclaration. Alice et Marion, elles, brûlent d'impatience à l'idée de se lancer dans une exploration qui, peut-être, aboutira à de merveilleuses découvertes.

En discutant, les trois amies regagnent le porche. Le facteur entre dans la cour et appelle Milly pour lui remettre deux lettres.

— Elles sont toutes les deux pour Mamie, dit la jeune fille après avoir lu l'adresse sur les enveloppes. Ce sont certainement nos futurs pensionnaires qui lui écrivent.

Milly a vu juste. La première lettre est d'une certaine Mme Salisbury : elle prévient que sa fille l'amènera aux Baies Rouges le lendemain. La seconde lettre vient d'un M. Auerbach, qui annonce son arrivée au cours de la semaine suivante, sans pouvoir encore donner de date précise.

— Oh ! s'exclame Mme Barn. Je ne les attendais pas si tôt. Leurs chambres ne sont pas prêtes.

— Ne vous inquiétez pas, dit Alice. On va vous aider.

Le déjeuner terminé, les jeunes filles se répartissent le balai, le torchon et la serpillière avant de se mettre au travail. Mme Barn a cousu de nouveaux rideaux pour les chambres et pour la salle de séjour. Alice et ses amies les accrochent aux tringles, puis elles composent de jolis bouquets de fleurs des champs. Bess, qui a suivi des cours chez un décorateur, met sa science à l'épreuve. Elle remue meubles, tables et chaises tout l'après-midi. Le résultat lui attire les félicitations de ses amies, de Milly et de Mme Barn.

Tandis que Mme Barn prépare le dîner, les jeunes filles vont sous le porche. Elles ont bien mérité un peu de repos. Bess s'étend dans un hamac et se plonge dans la lecture d'un journal vieux de plusieurs jours. Milly ouvre un livre, Alice et Marion jouent avec Tigre, le chien.

Tout à coup, Bess pousse une exclamation de surprise.

— Alice, comment s'appelait la vendeuse à qui nous avons acheté ce fameux parfum ?

— Wong, répond Alice, étonnée. Yvonne Wong. Pourquoi ?

— Parce qu'on cite son nom dans un article, dit Bess en tendant le journal à son amie.

Elle lui désigne du doigt le paragraphe en disant :

— Lis toi-même.

## chapitre 10

# Les nouveaux pensionnaires

— Le journal annonce que la société Rollcar, qui se livrait à des importations illégales, a été dissoute par ordre des autorités fédérales, dit Alice. Je ne vois pas ce qu'Yvonne Wong vient faire là-dedans.

— Beaucoup de choses, répond Bess. Lis la suite et tu verras. Son nom apparaît tout en bas de l'article.

— Ah oui ! poursuit Alice au bout d'un moment. Yvonne Wong était employée par cette société.

Bess incline la tête, très fière de son importante découverte.

— La boutique orientale appartenait sans doute à la société Rollcar, dit-elle.

— De quand date cette dissolution ? demande Marion.

— Ce n'est pas précisé, répond Alice, mais le journal remonte à plusieurs jours.

— Ça ne m'étonne pas qu'Yvonne Wong soit mêlée à une affaire louche : elle m'a déplu dès le premier abord, dit Bess.

— Vous croyez qu'elle savait qu'elle travaillait pour des gens malhonnêtes ? demande Marion à ses amies.

— Certainement, répond Bess. En tout cas, elle a eu la bonne idée de les lâcher avant que les autorités fédérales ne découvrent ce qu'ils tramaient, puisqu'elle n'a pas été arrêtée.

— J'aimerais bien savoir ce qu'ils trafiquaient..., dit Alice, l'air pensif.

— Je suppose que le gouvernement ne devait pas avoir assez de preuves pour traduire les associés en justice, déclare Marion. Sinon, les motifs de la dissolution seraient indiqués dans le journal. Mais c'est curieux qu'on parle d'Yvonne Wong, puisqu'il n'y a pas eu de jugement.

— Il doit y avoir des soupçons contre elle.

— Possible, mais quoi ? On n'en sait toujours pas plus, remarque Marion dont la curiosité est maintenant très aiguisée.

Mme Barn met fin à la discussion en appelant les jeunes filles à venir dîner. Avant de se lever, Alice prend soin de découper l'article et de le glisser dans sa poche.

Elle n'en a pas parlé aux autres mais elle est

persuadée qu'Yvonne Wong est encore employée par la société ; celle-ci a dû être reconstituée aussitôt sous un autre nom, dans l'espoir d'échapper aux autorités fédérales.

Comment, sinon, expliquer ce qu'elle a entendu dans le bureau 305, pendant qu'elle attendait Milly ? À moins que la société à laquelle appartenait le dénommé Ralph ne soit en relation avec la Rollcar et qu'il ait engagé Yvonne Wong en connaissance de cause.

À force de tourner et de retourner ce problème dans sa tête, Alice en vient à regretter d'avoir quitté River City. Elle aurait pu y mener une enquête. En attendant, elle décide de se remettre à l'étude du message chiffré.

Mais, après le dîner, elle tombe de fatigue et, le lendemain matin, toute la maisonnée est en effervescence avant l'arrivée de la première pensionnaire.

Le déjeuner est à peine fini qu'une somptueuse automobile amène Mme Lise Salisbury et sa fille Mona. Mme Salisbury marche en s'appuyant sur une canne. Elle se plaint de rhumatismes.

Mona reste juste le temps de s'assurer que sa mère est confortablement installée, puis elle annonce qu'elle doit repartir au plus vite.

— Ma mère est née dans une ferme, dit-elle à Mme Barn, qui la raccompagne à sa voiture. Elle rêvait de se retrouver à la campagne, alors j'ai sauté sur l'occasion en voyant votre annonce. Je n'habite pas loin d'ici et je pourrai venir la voir toutes les semaines. Je suis certaine qu'elle sera heureuse chez vous.

Milly et ses amies l'espèrent aussi, mais elles en sont moins sûres, parce que la vieille Mme Salisbury semble être une éternelle insatisfaite, qui ne se plaît nulle part. Pourtant, elle ne trouve rien à redire concernant la propreté de la maison, ou son confort ; elle admire même la vue splendide qui s'offre à elle depuis les fenêtres de sa chambre, mais les maux divers dont elle souffre la rendent un peu acariâtre. Très bavarde, elle n'épargne pas à ses jeunes auditrices le récit détaillé des nombreuses opérations qu'elle a subies. Elle a la critique facile. Sa cible favorite est la jeune génération...

— Bah ! Elle serait supportable si seulement elle arrêtait de nous parler de tous ses problèmes ! rouspète Marion, excédée. À la fin, c'est moi qui vais finir par me sentir malade !

Quelques jours plus tard, le second client fait son apparition. M. Auerbach a l'air solide, malgré ses soixante-huit ans, et se vante d'être aussi alerte que son fils Karl. Il pince les joues minces de Milly en signe d'amitié. C'est un homme que tout enchante. Son fils, qui travaille dans la ville voi-

82

sine, est très beau et particulièrement sympathique, aussi les quatre jeunes filles regrettent-elles un peu qu'il ne puisse rester auprès de son père.

— Je ne peux pas m'absenter plus d'un jour, leur dit-il, visiblement désolé. J'aurais pourtant bien aimé passer une ou deux semaines ici.

M. Auerbach plaît à tout le monde. Seule ombre au tableau : son féroce appétit !

— Dommage qu'il ne se nourrisse pas d'herbe ! plaisante Milly en épluchant des pommes de terre. À lui seul, il mange plus que nous toutes réunies.

Au début, il s'attardait souvent à la cuisine, goûtant les plats, taquinant les jeunes filles, à la grande irritation de celles-ci. Prié d'aller voir ailleurs, il a vite pris l'habitude de s'asseoir sous le porche où se repose Mme Salisbury. Au grand soulagement des quatre amies, ils se lient d'amitié et passent des heures à bavarder. Il leur arrive de se chamailler à propos de rien. À la suite de ces querelles, Mme Salisbury s'enferme dans son silence – très reposant – et M. Auerbach fait de nouvelles incursions à la cuisine.

En dépit de ces petits inconvénients, les journées passent, heureuses et paisibles. Souvent, Alice se rend à la ville voisine et en rapporte le courrier. Les pensionnaires apprécient beaucoup la gentillesse de la jeune fille. Un jour, pressée parce qu'elle veut rentrer à temps pour apprendre à traire les vaches sous la direction de Rudolph, elle prend le paquet que lui tend l'employée de la poste, sans en vérifier le contenu comme elle le fait d'habitude. De retour à la ferme, elle distribue à chacun ses lettres et s'aperçoit qu'il lui en reste une.

— Tiens, s'exclame-t-elle, regardez l'adresse sur l'enveloppe !

À voix haute, elle lit :

— « Fidèles du Chêne Centenaire ».

— L'employée de la poste a dû se tromper, dit Bess.

— Qu'est-ce que tu vas faire ? demande Marion. La leur apporter ?

— Ah ! non ! intervient M. Auerbach. Il vaut mieux rester à l'écart de ces gens. Il n'y a qu'à rapporter la lettre à la poste !

Alice examine le timbre du bureau de poste d'où est parti le pli. Il lui semble déchiffrer River City, mais elle n'en est pas sûre. Mme Barn promet alors de confier la lettre à une voisine qui doit se rendre en ville dans l'après-midi.

Soulagée de ne plus en avoir la responsabilité, Alice éprouve malgré tout une légère déception. Cette lettre aurait pu lui donner l'occasion de s'approcher de la fameuse caverne...

Dans l'étable, en compagnie de Rudolph, elle oublie vite ses préoccupations.

— Alors, les citadines, vous êtes prêtes ? dit en riant Rudolph, qui est maintenant conquis par leur gentillesse.

— Bien sûr. Passez-moi le seau, insiste Bess.
Je vais vous montrer ce que je sais faire. C'est un
jeu d'enfant.

Rudolph lui tend le seau et Bess s'avance d'un
pas décidé vers la vache.

— Tout doux ! Tout doux, Suzy ! roucoule-t-elle
en tapotant le cou de la vache.

Suzy lui répond par un regard soupçonneux.
Bess pose le tabouret sur le sol, et la vache lance
une ruade. Affolée, Bess fait un bond en arrière.

— Ne vous moquez pas de moi, dit-elle, vexée,
à ses amies. Cette vache est méchante !

— Pauvre vieille Suzy ! La traiter de méchante !
proteste Rudolph, indigné. Elle qui est aussi douce
qu'un agneau !

— Elle a voulu me donner un coup de sabot...,
gémit Bess. Vous trouvez ça amical ? Je préfère
essayer sur une autre vache.

— Suzy a ses habitudes, grommelle Rudolph.
Elle ne supporte pas qu'on la traie du mauvais côté.

— Du mauvais côté ? Parce qu'il y a un bon et
un mauvais côté ? Je ne vois pas quelle différence
ça peut faire, marmonne Bess. Le lait aura le même
goût que ce soit d'un côté ou de l'autre.

À contrecœur, elle ramasse le tabouret renversé
et le pose contre l'autre flanc de la vache. Sur ce,
la vache se place de travers.

— Je crois qu'elle m'en veut ! dit Bess. Prends

ma place, Marion, on verra comment tu t'en tire-ras.

— Je croyais que c'était un jeu d'enfant ! Allez, montre-nous tes talents !

Après plusieurs fausses manœuvres, Bess réussit à s'asseoir sur le tabouret, et grâce aux conseils de Rudolph elle finit par obtenir un mince filet de lait. La vache la regarde faire avec une expression d'ennui profond.

Alice est la dernière à essayer de traire. Profitant de l'expérience de ses amies, elle se montre un peu moins maladroite... mais ne s'en sort finalement pas tellement mieux ! Quand Rudolph se met enfin au travail, les trois jeunes filles restent bouche bée d'admiration devant son adresse.

Ce soir-là, Mme Salisbury et M. Auerbach, fatigués, vont se coucher de bonne heure. Mme Barn ne tarde pas à en faire autant, laissant les jeunes filles discuter sous le porche.

— La nuit est magnifique ! soupire Bess, heureuse. Vous avez déjà vu un plus beau clair de lune ?

— Il fait presque aussi clair qu'en plein jour, renchérit Alice. On voit les collines se dessiner au loin. Elles sont si...

Elle s'interrompt brusquement et bondit sur ses pieds. Les autres la dévisagent, interloquées.

— Est-ce que je rêve ? dit-elle. Vous voyez... là-haut, sur la colline...

Suivant la direction de son bras, Marion, Bess et Milly voient des ombres blanches qui se déplacent dans le clair de lune.

— Des fantômes ! s'exclame Bess.

— Des fantômes ! Et puis quoi encore ! riposte Marion.

— Ne vous inquiétez pas, dit Milly en souriant. Ce sont les membres de la secte qui suivent un de leurs rites bizarres. Ils ne sortent en robe blanche que par nuit claire.

Les jeunes filles contemplent un moment les évolutions de ces druides à la nouvelle mode.

— Ils ne font pas grand-chose, remarque Alice. On dirait qu'ils tournent autour d'un arbre, un chêne sans doute.

— Ils ont l'air complètement fous ! s'exclame Bess.

La cérémonie dure une dizaine de minutes. Soudain, les spectatrices lointaines voient les silhouettes blanches disparaître derrière la colline.

— Tu crois que ce rite veut dire quelque chose ? demande Marion, s'adressant à Alice.

— C'est bien ce que j'ai l'intention de découvrir, dit Alice d'un air décidé.

En silence, les jeunes filles montent se coucher.

## chapitre 11

# Avertissement

Depuis le jour de son arrivée aux Baies Rouges, Alice n'a qu'une idée en tête : explorer la grotte. La curieuse cérémonie qui s'est déroulée au clair de lune n'a fait qu'attiser sa curiosité. Elle est maintenant persuadée que les adeptes du mystérieux culte de la Nature utilisent la caverne à des fins malhonnêtes.

Quand les jeunes filles annoncent leur projet à Mme Barn, celle-ci ne s'y oppose pas formellement mais fronce les sourcils :

— Je n'aime pas beaucoup cette idée, déclare-t-elle. Ces gens sont probablement inoffensifs, mais nous ne savons rien sur eux. Je regrette de leur avoir loué mon terrain. D'ailleurs, nos voisins nous le reprochent.

— Et ils n'ont pas tort ! renchérit Mme Salisbury qui, ayant entendu la conversation, tient à y mettre son grain de sel.

— Tout ce qu'on raconte au sujet de nos locataires me paraît un peu ridicule, intervient alors Milly. Et pourtant, même Rudolph n'ose pas s'aventurer de leur côté.

— Et moi qui rêve d'aller leur rendre visite ! dit Alice en riant. Ce serait très amusant.

— Amusant ! grommelle Mme Salisbury. Ah ! les jeunes d'aujourd'hui ! De mon temps, les jeunes filles ne galopaient pas par monts et par vaux. Méfiez-vous, madame Barn, si vous les laissiez faire, elles seraient capables de rentrer dans la secte, juste pour vous ennuyer.

— Je ne m'inquiète pas pour ça, répond Mme Barn. Elles ont toutes les quatre la tête bien sur les épaules.

À la suite de cette conversation, les jeunes filles décident de remettre l'expédition à plus tard ; mais elles n'y renoncent pas.

— On réussira bien à convaincre ma grand-mère si Mme Salisbury n'est pas dans les parages, déclare Milly. Un peu de patience.

Alice, Bess et Marion n'ont pas trop de mal à se changer les idées. Le temps passe vite aux Baies Rouges. La vie à la ferme leur plaît tellement qu'elles écrivent des lettres enthousiastes à leurs parents, leur demandant la permission de prolonger leur séjour. Ceux-ci acceptent de bon cœur.

Un après-midi, Alice se sent pleine d'une énergie débordante ; elle laisse ses amies mollement étendues sur des chaises longues, à l'ombre du porche, et part se promener à travers champs. Elle prend la direction du bois qui borde la rivière. Bientôt, elle s'aperçoit que, sur le sentier, il y a des traces de pas. Elle décide de les suivre.

Elle a à peine parcouru une centaine de mètres qu'elle entend un faible cri de détresse. Alice s'arrête et tend l'oreille. Silence.

« Encore un tour de mon imagination, se dit-elle. Ça doit être un oiseau ! »

Elle presse cependant l'allure. Quelques minutes plus tard, dans un virage, elle aperçoit une vieille femme, assise dans l'herbe, les traits crispés par la souffrance.

— Qu'est-ce qui s'est passé ? demande Alice en se précipitant vers elle.

— J'ai trébuché sur une racine, murmure la vieille femme, en se balançant d'avant en arrière sous l'effet de la douleur. J'ai dû me casser la cheville.

Alice s'agenouille dans l'herbe et examine la cheville blessée. Elle est un peu gonflée, mais, en faisant jouer doucement l'articulation, Alice ne perçoit aucun craquement. Elle rassure aussitôt la pauvre femme :

— Essayez de marcher un peu, lui dit-elle, je vais vous aider ; ce n'est qu'une entorse.

Dès le premier pas, la vieille femme devient livide.

— Qu'est-ce que je vais devenir ? gémit-elle.

— Vous habitez loin d'ici ? demande Alice.

La vieille femme la regarde, sans répondre. Croyant qu'elle n'a pas entendu, Alice répète sa question.

— Un peu plus haut, à quatre cents mètres d'ici, murmure la blessée. Ça va aller.

— Vous n'allez pas y arriver, dit Alice. Attendez-moi ici, je vais chercher de l'aide à la ferme.

— Non, non ! proteste la vieille femme avec une vigueur surprenante.

Elle s'empresse d'ajouter :

— Je ne veux pas vous déranger.

— Quelle idée ! Vous ne pouvez pas marcher avec une cheville dans cet état. L'aller-retour à la ferme ne me prendra pas plus de dix minutes.

La vieille femme secoue la tête énergiquement.

— Je me sens beaucoup mieux maintenant, je vais rentrer chez moi. Je n'ai pas besoin d'aide.

Elle veut s'éloigner, mais, après trois pas, elle chancelle et manque de tomber.

— Si vous ne voulez pas que j'aille chercher du secours, laissez-moi au moins vous accompagner au bout du chemin.

La vieille femme veut encore protester mais Alice lui prend le bras, le passe par-dessus son épaule et, soutenant la blessée par la taille, la fait avancer doucement. La progression est lente et douloureuse et la malheureuse avance en serrant les dents. Une seule fois, elle laisse échapper une plainte.

— Vous ne pouvez pas continuer comme ça ! dit Alice, émue, mais surprise de l'obstination de la blessée. Je vais aller chercher de l'aide...

— Non ! répond l'autre avec véhémence.

« Mais pourquoi est-ce qu'elle s'obstine ? » se demande Alice.

Comme elles avancent sur le sentier, la jeune fille finit par comprendre que la détresse de sa compagne n'est pas uniquement due à la douleur qui la torture, mais aussi à la présence d'Alice à côté d'elle. Cela déconcerte la jeune fille qui, cependant, n'ose abandonner la vieille femme.

— Je ne me souviens pas d'avoir vu des maisons le long de la rivière, dit Alice au bout d'un moment. Vous n'appartiendriez pas au groupe des Fidèles du Chêne Centenaire par hasard ?

Un air de profonde tristesse passe sur le visage de la vieille femme.

— Oui, dit-elle très bas.

Alice l'observe avec attention. Elle porte une robe de coton bleue qui, bien que très sobre, n'a rien d'un habit religieux. Elle ressemble tout simplement à n'importe quelle autre femme du même âge ; on ne devine pas qu'elle est membre d'une secte.

— La vie au grand air est très saine, reprend Alice, pour meubler le silence. J'ai souvent eu envie de vous rendre visite.

La vieille femme s'arrête net sur le sentier et dévisage Alice avec un air de vive inquiétude.

— Vous pouvez oublier ça tout de suite ! dit-elle.

— Pourquoi ?

— Parce que ce serait imprudent.

— Imprudent ? répète Alice, interloquée. Je ne comprends pas.

— C'est-à-dire... enfin..., balbutie la vieille femme. Les... les adeptes de notre culte ne veulent pas qu'on les espionne.

— Vos rites sont réservés aux initiés, c'est pour ça ?

— Oui, s'empresse de répondre l'inconnue.

— Mais je peux venir à un autre moment de la journée.

— Non, non, ne venez pas !

Elles poursuivent leur chemin en silence. De toute évidence, les questions d'Alice dérangent énormément la vieille femme. L'angoisse se lit sur son visage tendu.

Comme elles arrivent à proximité des tentes, la blessée s'arrête.

— Merci beaucoup, mademoiselle, dit-elle. Vous pouvez me laisser maintenant.

Alice hésite, puis s'incline devant le désir de la vieille dame. Il lui est impossible d'insister.

— Attendez, je vais au moins vous chercher un gros bâton pour vous servir de canne.

Sans attendre la réponse, elle parcourt quelques mètres dans le bois et ramène un solide morceau de branche à la vieille femme.

94

— Vous êtes très gentille, dit celle-ci avec une grande douceur. Je voudrais...

Mais tout à coup, la vieille femme se détourne et s'éloigne en boitant.

— N'oubliez pas ce que je vous ai dit ! jette-t-elle par-dessus son épaule. Ne vous approchez pas de notre camp !

Plus intriguée que jamais, Alice la suit un moment du regard. Puis elle rebrousse chemin.

« Cette pauvre femme a vraiment un comportement étrange..., se dit la jeune fille. Je ne vois pas où est le mal à ce que je m'introduise sur leur terrain ! Ou alors cela veut dire que ce prétendu culte cache des choses pas très nettes. »

Plus Alice réfléchit, plus sa curiosité s'aiguise.

« En tout cas, on ne peut pas dire que la croyance apporte le bonheur ou la paix à cette pauvre dame ! Elle avait l'air tellement malheureuse et apeurée ! »

Tout en échafaudant des hypothèses, Alice marche d'un bon pas.

« Une chose est certaine, conclut-elle, je ne vais pas suivre son conseil. À la première occasion, j'irai voir le campement et je découvrirai ce qui s'y trame ! »

# Étrange spectacle

Quand elle arrive aux Baies Rouges, Alice trouve Mme Salisbury, M. Auerbach, Milly, Bess et Marion assis sous le porche. Elle n'a pas l'intention de raconter son aventure, mais son air excité la trahit. Bess et Marion l'assaillent de tant de questions qu'elle ne peut résister et relate sa rencontre avec la vieille femme.

— Qu'est-ce que je vous disais ? triomphe Mme Salisbury. Elle vous a défendu de vous approcher de leur campement. J'espère que vous avez compris, cette fois !

Alice secoue la tête en riant.

— Au contraire, je suis encore plus intriguée par ce qui se passe là-bas. J'ai bien l'intention d'aller y jeter un coup d'œil.

— Moi aussi, renchérit Marion.

Milly opine de la tête avec vigueur mais Bess

se montre plus réticente. Bien sûr, elle aime les aventures, mais elle est beaucoup moins téméraire que ses compagnes !

— Je vous conseille de vous tenir à l'écart de ces gens, intervient M. Auerbach, se rangeant pour une fois à l'avis de Mme Salisbury. Mon fils dit toujours qu'on ne gagne rien à se mêler de ce qui ne nous regarde pas.

Alice se retient pour ne pas répondre vertement. Secrètement, elle reproche à Mme Salisbury et à M. Auerbach de se contenter de paresser au soleil, et de donner des conseils que personne ne demande. Elle arrive cependant à se maîtriser et se contente de dire :

— Pour autant que je sache, cette affaire concerne Mme Barn et Milly de près.

Mme Barn qui, entre-temps, s'est jointe à eux, intervient aussitôt :

— Mes enfants, je n'ai pas envie que vous preniez des risques inutiles ; mais je commence à me dire qu'il faudrait peut-être se renseigner sur ce que font ces gens sur la colline. Si leurs activités sont louches, je leur demanderai de partir.

M. Auerbach et Mme Salisbury s'enferment dans un silence vexé. Alice adresse un clin d'œil à la dérobée à ses amies et, quelques secondes plus tard, elles se réunissent discrètement dans la maison.

— Qui veut mener l'enquête avec moi ? demande Alice.

— Moi ! s'écrie Milly avec enthousiasme.

— Je ne sais pas si c'est très prudent..., s'inquiète Bess.

— Tout ce que je peux te dire, répond Alice, c'est que si j'estimais que les risques étaient trop importants, je ne me lancerais pas dans l'aventure sans prendre de précautions, ni surtout sans avertir papa. Mais à mon avis, les Fidèles du Chêne Centenaire ne sont que de pauvres superstitieux pas très intelligents...

— ... des sortes de pantins manipulés par des gens sans scrupules ! coupe Bess avec un léger frisson. Enfin, ce n'est pas la peine de discuter, tu sais d'avance que je te suivrai, ne serait-ce que pour t'empêcher de faire des bêtises !

— De toute façon, on n'aboutira à rien tant que Mme Salisbury et M. Auerbach se mettront en travers de nos projets, dit Alice.

— Ça c'est sûr, approuve Marion. Et tu as une idée de la manière dont on pourrait rentrer dans le « camp retranché » ?

— Non, pas encore. Il faut préparer notre plan minutieusement et, pour commencer, j'aimerais avoir plus de détails sur le costume qu'ils portent pour leurs rites. Ça pourrait nous servir à l'occasion.

— Pour ça, il n'y aura qu'à observer une de leurs cérémonies nocturnes. On se glissera le plus près possible du campement, dit Milly.

Alice approuve de la tête.

— Au fait, reprend Milly, est-ce que je vous ai dit que la grotte avait deux issues – une sur notre propriété, l'autre sur la parcelle louée ?

— Mais c'est une très bonne nouvelle ça, répond Alice. Si on n'arrive pas à découvrir ce qui se cache derrière ces rites, on pourra toujours entrer dans la grotte par un côté et en ressortir de l'autre.

— Ce serait de la folie ! proteste Bess.

— Allons, ne t'affole pas ! dit Alice. Ce n'est qu'un projet pour l'instant. Au début, on se contentera de guetter les signes d'un rite nocturne et de surveiller le campement sans laisser Mme Salisbury ou M. Auerbach se douter de quoi que ce soit. Ils seraient capables de persuader Mme Barn de nous empêcher de mener notre projet.

Les jeunes filles ne divulguent leurs plans à personne. Malheureusement, leurs allures mystérieuses et leurs petites réunions éveillent les soupçons des deux pensionnaires.

— Qu'est-ce que vous manigancez ? demande Mme Salisbury un beau matin. À la place de Mme Barn, je me méfierais.

Mais, calme et sereine, Mme Barn ne s'inquiète pas et les laisse se divertir à leur guise.

Les jours s'écoulent, heureux bien qu'un peu trop paisibles pour Alice et Marion, qui ont tout le temps soif d'aventures. Karl Auerbach et Mona

Salisbury viennent passer chaque week-end à la ferme. Rudolph continue à initier ces « demoiselles de la ville » aux mystères de la vie rurale.

Les Fidèles du Chêne Centenaire ne se manifestent pas, au grand désespoir des jeunes filles, qui ont sans cesse le regard tourné vers la colline. Elles sont encore plus vigilantes quand les nuits sont claires.

— C'est à croire qu'ils ne sortiront plus jusqu'à l'automne, dit un jour Marion, dépitée.

Elle est allée rôder une fois de plus dans les parages du camp dans l'espoir de surprendre un signe de vie.

— Ils se sont peut-être aperçus qu'on les guettait, ajoute-t-elle.

— En tout cas, ils sont toujours sur la colline, répond Milly, puisque ma grand-mère a reçu le loyer ce matin.

— Et moi, j'ai vu de la fumée sortir d'une tente, ajoute Bess.

— Est-ce que tu sais où ils font leurs courses ? demande Alice en se tournant vers Milly. Ils ne peuvent quand même pas se contenter d'eau et d'air pur !

— Ce sont sans doute des amis qui leur apportent des provisions, répond Milly. J'ai vu plusieurs fois de belles voitures garées de l'autre côté de la colline.

— De belles voitures ? s'étonne Alice. Ils ne

sont pas si pauvres que ça alors !... Oh ! J'en ai assez d'attendre... Vivement qu'il se passe quelque chose ! Si ça continue, on va passer à l'action. Advienne que pourra !

— Et on peut savoir ce que tu comptes faire ? s'inquiète Bess.

— Explorer la grotte.

Comme en réponse au souhait d'Alice, « quelque chose » se produit le soir même.

Les jeunes filles terminent la vaisselle assez tard. Quand elles sortent, la nuit est tout à fait tombée. Mme Salisbury et M. Auerbach se sont déjà retirés dans leurs chambres. La lune brille haut dans le ciel. Par habitude plus que par pressentiment, Alice regarde du côté de la colline.

— Ils sont là ! s'exclame-t-elle.

En effet, on voit des silhouettes qui se déplacent selon un rythme régulier.

— Vite, dépêchons-nous ! dit Alice.

Les jeunes intrépides traversent la pelouse en courant, franchissent la barrière et ne s'arrêtent qu'à proximité du camp.

— On doit être prudentes, murmure Alice. On va se disperser derrière les arbres ! Et surtout pas un mot !

Les autres exécutent aussitôt cet ordre – sauf Bess qui, effrayée, se colle littéralement à Marion. Alice, elle, se cache derrière un grand chêne, presque au sommet de la colline. De cette position stratégique, elle a une bonne vue d'ensemble.

Elle est là depuis quelques secondes à peine lorsqu'elle entend le bruit de plusieurs voitures qui roulent sur la route étroite, au pied de la colline, et s'arrêtent à quelques mètres du campement.

Plusieurs hommes descendent des voitures. Alice est trop loin pour distinguer leurs visages à la lueur des phares, mais elle voit ces individus enfiler de longues robes blanches à cagoule et rejoindre d'autres silhouettes blanches en haut de la colline.

Pendant une dizaine de minutes, les membres de la secte évoluent en agitant les bras et en chantant. Puis ils s'avancent en file indienne vers la caverne dans laquelle ils s'engouffrent.

Tout à coup, Alice sent que quelque chose touche son bras. Elle pivote brusquement et se met à rire tout bas.

— Marion ! Tu es folle ! Tu as failli me faire mourir de peur.

— Qu'est-ce que tu penses de tout ça ?

— Je n'ai jamais rien vu d'aussi bizarre. Je ne sais plus quoi faire maintenant !

— On pourrait les suivre dans la grotte ! propose Marion, pleine de témérité.

— Et s'ils nous surprennent ? réplique Alice.

Non, ce serait trop dangereux. Je crois que ça suffit pour cette nuit. Rentrons.

— À vos ordres, mon général ! répond Marion, à contrecœur.

Bess et Milly, elles, obéissent sans regret à cette nouvelle consigne. Elles tremblent encore de la scène qui s'est déroulée sous leurs yeux.

— Je me demande pourquoi tous ces gens sont venus en voiture, dit Milly, songeuse, tandis qu'elles s'acheminent vers la ferme.

— Je crois que j'ai une idée sur la question, répond Alice. J'ai l'impression que seulement quelques personnes vivent en permanence au camp. Mais comme les dirigeants veulent faire croire que la secte est très importante, ils font venir des amis pour les rites nocturnes.

— Ce qui est sûr, c'est que les voitures étaient pleines de gens, dit Bess.

— Peut-être, mais ça n'explique pas cette mise en scène, déclare Milly, perplexe.

— C'est vrai, reconnaît Alice.

— Comment veux-tu qu'on découvre quoi que ce soit si tu refuses d'explorer la grotte ? rouspète Marion.

— Ne t'inquiète pas, déclare Alice, amusée. J'ai bien l'intention de la visiter. Mais chaque chose en son temps. J'ai déjà appris ce que je voulais pour ce soir.

— À propos du costume ? interroge Milly.

— Oui. Je pourrai en confectionner un avec quelques draps et des taies d'oreiller. Je veux mettre toutes les chances de mon côté quand j'entreprendrai cette expédition !

## *chapitre 13*

# *Un autre avertissement*

Les jours suivants s'écoulent dans le calme. Le camp des Fidèles du Chêne Centenaire semble désert. De temps à autre, un mince filet de fumée rappelle aux jeunes filles qu'il est toujours gardé. À part cela, elles n'aperçoivent pas le moindre signe de vie.

De son côté, Alice réfléchit beaucoup. Elle est même tellement absorbée par les agissements de la secte qu'elle en oublie Yvonne Wong et le message codé. Elle attend avec impatience la prochaine cérémonie nocturne.

Mme Salisbury et M. Auerbach continuent à donner des conseils et à poser des questions auxquelles les quatre amies répondent distraitement. Milly a mis sa grand-mère au courant du projet et, à contrecœur, celle-ci leur a donné l'autorisation d'explorer la grotte, à condition que les circonstances soient favorables.

107

Pour tuer le temps, les jeunes filles jouent aux cartes sur la pelouse et vaquent aux divers travaux de la ferme. Elles cueillent des mûres, des myrtilles ou des framboises, puis les emportent à Blackstone. Le soir, elles vont aux champs et, avec l'aide du chien berger, elles rassemblent les vaches pour la traite.

Un jour, elles se mettent en route vers les pâtures plus tard que d'habitude.

— Dépêchons-nous, dit Milly, les pauvres bêtes vont être énervées et difficiles à traire.

Elles s'élancent au pas de course, le chien sur les talons. Les vaches sont à l'autre extrémité du pré.

— Oh ! Regardez ! s'écrie Milly en s'arrêtant près des barbelés qui le cernent. Un poteau est tombé... Pourvu qu'aucune vache ne se soit sauvée !

Tandis que le chien rassemble les bêtes, elle les compte avec inquiétude.

— Il manque Suzy, la meilleure laitière !

— Ramenez les autres à l'étable ! dit Alice. Pendant ce temps-là, je vais chercher Suzy. Elle n'a pas pu aller bien loin !

Poussant les vaches devant elles, Milly, Bess et Marion s'éloignent.

Alice se glisse par le trou dans la clôture. C'est la première fois qu'elle s'aventure par là, mais elle suit la piste marquée dans l'herbe par les sabots de l'animal. Plusieurs fois, elle s'arrête, l'oreille tendue, parce qu'elle croit percevoir le tintement d'une clochette.

L'ombre envahit le sous-bois. Alice presse le pas. De nouveau, elle s'immobilise en entendant le son clair. La vache n'est plus très loin. Tout à coup, Alice la voit qui savoure avec délice l'herbe tendre de la colline, parfaitement indifférente au trouble causé par sa disparition.

Ralentissant l'allure afin de ne pas effrayer la bête, Alice s'avance vers elle et se fige sur place, stupéfaite : devant elle s'ouvre l'entrée de la grotte. Quelle chance !

— Ça alors ! s'exclame-t-elle à haute voix. Si j'avais su ! Ce doit être l'autre entrée dont Milly nous a parlé. La caverne traverse la colline, elle doit aboutir tout au milieu du camp.

Sans même prendre le temps de réfléchir, Alice court à l'entrée et se penche. À peine a-t-elle jeté un coup d'œil à l'intérieur qu'elle entend une brindille craquer derrière elle. Alice se retourne et voit un homme se dresser à un mètre d'elle.

Il semble être sorti des buissons qui dissimulent l'ouverture. Alice imagine qu'il est là pour monter la garde.

— Qu'est-ce que vous venez faire ici ? lui demande-t-il d'une voix glaciale.

Alice réprime avec peine un frisson. Elle a reconnu l'homme au son de sa voix. C'est un des automobilistes qu'elle a vus à la station d'essence, celui que ses camarades appelaient Hank. Frappée de stupeur, elle ne peut prononcer un mot.

L'homme s'avance vers elle, menaçant.

— Hé ben ! Vous êtes sourde ? Répondez !

— Je cherchais cette vache, dit calmement Alice, en désignant Suzy qui broute l'herbe tout près de là.

Elle le défie du regard. Il fait encore deux pas en avant et une odeur familière parvient à Alice : le parfum oriental ! Elle aimerait poser une question mais se mord les lèvres à temps. Il ne faut surtout pas éveiller les soupçons de l'homme.

— Bizarre quand même ! Vous dites que vous cherchez une vache et je vous surprends près de la grotte !

— Je ne vois pas ce qu'il y a d'étrange ! riposte Alice. Je me demandais simplement comment c'était à l'intérieur. Il n'y a pas de mal à ça, que je sache ?

— Vous n'avez rien à faire ici, rétorque l'homme. Vous êtes chez les Fidèles du Chêne Centenaire.

— Ah ! s'exclame Alice, feignant d'être très impressionnée par ce nom. Mais c'est très intéressant !

— Ça suffit maintenant ! gronde l'homme. Déguerpissez avec votre vache et que je ne vous revoie plus !

Alice juge qu'il est plus sage de ne pas chercher à discuter. Cet homme lui fait peur ; il a un visage dur et un regard cruel. Elle attrape la vache par une corne, et s'éloigne.

Tout en cheminant, Alice s'efforce de mettre de l'ordre dans ses idées. Cet homme au visage d'escroc appartient donc à la secte dont les activités semblent suspectes. De toute évidence, il faisait le guet à l'entrée de la grotte. Pourquoi les Fidèles du Chêne Centenaire se méfient-ils à ce point des gens du coin, si ce n'est parce qu'ils se livrent à des activités illégales ?

Et ce parfum ? Que signifie-t-il ? Plus Alice réfléchit aux divers incidents qui lui sont liés, plus elle est perplexe.

Tout d'abord : l'hésitation d'Yvonne Wong à leur en vendre un flacon, puis la rencontre avec l'inconnu dans le train, enfin l'odeur qui imprégnait les vêtements d'un des passagers de la voiture et, maintenant, ceux du dénommé Hank.

« Il y a un lien entre tous ces individus, se dit-elle. J'en suis sûre. Mais je trouve invraisemblable qu'ils soient tous impliqués dans la même affaire alors qu'ils sont à des centaines de kilomètres les uns des autres ! »

Finalement, Alice se contente de prendre une fois de plus la résolution de déchiffrer le message codé.

Il fait presque nuit quand elle arrive à la ferme.

Milly accourt à sa rencontre.

— Je commençais à m'inquiéter, dit-elle. Je ne t'aurais jamais laissée seule si j'avais su que Suzy était partie aussi loin !

Alice raconte à ses amies sa rencontre imprévue avec l'homme à l'entrée de la grotte, sans préciser pour autant qu'elle a reconnu celui-ci.

— Décidément, ces locataires ne me disent rien de bon ! décrète Milly.

— Tu n'as pas eu peur en voyant ce type sortir des buissons ? demande Bess en levant un regard admiratif vers son amie. Moi, je crois que je me serais évanouie de terreur.

— Ne dis pas de bêtises ! grommelle sa cousine. Toi, en revanche, tu aurais sans doute ameuté tous les membres de la secte en criant comme une furie. Ils t'auraient ficelée comme un saucisson et ils t'auraient emportée au fond de leur repaire.

— Brrrr, tais-toi ! implore Bess. Rien qu'à t'entendre j'en ai la chair de poule. Je n'oserai plus jamais m'approcher de cette grotte.

Tout le reste de la soirée, Alice est pensive. Aussitôt la vaisselle terminée, elle s'excuse et se retire dans sa chambre. Elle relit d'abord une lettre de son père, arrivée par le courrier du matin.

« As-tu réussi à traduire le message codé ? lui demande-t-il. Tu ferais peut-être mieux de le confier à un expert. »

« Papa a raison ! » soupire Alice.

112

Elle sort le message de son sac à main et y travaille deux heures avec acharnement, avant de s'avouer vaincue.

« Demain, j'irai à Norwick et je donnerai cette feuille à un spécialiste, décide-t-elle. Et si je n'en trouve pas, je l'apporterai au commissariat de police. »

Cette résolution prise, elle se sent soulagée.

Après avoir remis le message dans son sac, elle se couche et s'endort d'un sommeil paisible, sans se douter de ce que le lendemain lui réserve.

## chapitre 14

# L'accusation

— Qui a envie d'aller faire une promenade en voiture ? demande Alice le lendemain. Il faut que j'aille à Norwick.

— Moi, moi, moi ! s'écrient Milly, Bess et Marion.

La journée est splendide et les quatre jeunes filles se réjouissent de cette balade. Le paysage leur paraît encore plus beau que le jour de leur arrivée. Alice ralentit l'allure pour en profiter davantage.

— Il te reste assez d'essence ? demande Milly au bout d'une heure environ.

Alice regarde son compteur.

— Merci de me le rappeler. Il faudra qu'on s'arrête à la prochaine station-service.

Quelques kilomètres plus loin, Milly aperçoit l'enseigne d'une compagnie pétrolière.

— C'est drôle, dit-elle. C'est là où on a déjeuné en arrivant de River Hill.

115

Alice s'engage sur le chemin de gravier de la station.

— Qu'est-ce que vous diriez d'une bonne glace ?

En une seconde, les quatre amies sont dans la cafétéria. Elles s'asseyent, mais bien qu'il n'y ait pas grand monde, personne ne vient s'informer de ce qu'elles veulent. Des voix autoritaires leur parviennent des cuisines et paraissent se disputer.

— Il y a un problème apparemment, dit Alice à ses amies.

Au bout d'une dizaine de minutes, deux policiers sortent de la cuisine en compagnie du pompiste et de la caissière du restaurant.

— Puisque je vous dis qu'on nous a payés avec un billet de cent dollars. On ne s'est pas méfiés. Mais quand Joe a apporté la recette à la banque, on lui a refusé le billet en disant qu'il était faux !

Tout en parlant, elle prend un billet dans sa caisse et le montre aux policiers. L'un d'eux s'en empare, l'examine à contre-jour et le pose sur le comptoir.

— En effet, c'est une contrefaçon. Il y en a beaucoup qui circulent en ce moment. Nous sommes sur la piste de cette bande d'escrocs. Et nous les trouverons, vous pouvez nous faire confiance !.

— Facile à dire ! Ce n'est pas vous qui vous êtes fait avoir ! riposte la femme avec véhémence.

— Est-ce que vous pourriez nous faire une description aussi précise que possible de la personne qui vous a donné ce billet ?

— C'était une jeune fille blonde ; elle a déjeuné ici avec quelques amies de son âge. Si je la voyais, je la reconnaîtrais tout de suite.

Alice a entendu la conversation sans le vouloir mais il ne lui vient pas à l'esprit une seule seconde que c'est d'elle que l'on parle ! Dans son agitation, la caissière n'a pas encore remarqué sa présence. Fatiguée d'attendre, Marion se lève :

— Tant que les policiers seront là, personne ne s'occupera de nous, dit-elle. Et si on veut aller à Norwick, il faut qu'on se dépêche.

— Tu as raison, approuve Milly, et puis il faut rentrer avant la tombée de la nuit, sinon Mamie va s'inquiéter.

Alice se lève à regret. Le mot d'escroc a attiré son attention et elle aimerait en savoir davantage.

Au moment où elles s'approchent toutes les quatre de la porte, la caissière les aperçoit enfin. Elle ouvre la bouche, écarquille les yeux, d'un air stupéfait. Puis d'un geste vengeur, elle montre Alice du doigt.

— C'est elle !

— Qui ? demande un policier.

— La jeune fille qui m'a payée avec un faux billet !

Alice et ses amies s'arrêtent brusquement. Elles ne peuvent en croire leurs oreilles.

— Arrêtez-la ! Arrêtez-la ! se met à hurler la caissière, comme une furie.

Un policier se place entre la porte et les jeunes filles.

— Un instant, s'il vous plaît, dit-il. Vous êtes pressées ?

— On doit aller à Norwick, répond Alice, et comme personne n'est venu prendre notre commande, on a décidé de partir.

— Pas avant d'avoir répondu à quelques questions, déclare le policier.

Il prend le billet et le place brutalement sous le nez d'Alice.

— Vous avez déjà vu ce billet ?

— Comment voulez-vous que je le sache ? Il ressemble à des milliers d'autres.

— C'est elle qui m'a demandé de le lui changer, intervient la caissière. Pas vrai, Joe ?

— Oui. Tu me l'as dit tout de suite après leur départ.

— Vous reconnaissez être déjà venue ici ? demande le policier.

— Oui, mais...

— Vous n'allez quand même pas me dire que quelques sandwiches se paient avec d'aussi gros billets ?

— C'est mon père qui me l'avait donné pour nos vacances.

— Ben voyons ! ricane la caissière.

— Mais c'est vrai ! intervient Marion, indignée.

— Vous ne pouvez pas nous arrêter alors qu'on n'a rien fait ! proteste Bess.

— Oh que si ! réplique le policier. Allez, en route, on verra ce que les chefs penseront de cela.

— Vous n'avez pas le droit de nous emmener sans preuves, dit Alice. Réfléchissez : si on n'avait pas eu la conscience tranquille, on ne serait pas revenues ici aujourd'hui.

À cette remarque, les policiers se regardent, perplexes. Voyant qu'ils hésitent, la caissière perd toute retenue.

— Non, mais ! Regardez-moi ça. Vous n'allez quand même pas vous laisser berner par cette menteuse ! Je vous dis que c'est elle qui m'a donné le billet. Elle l'a dit elle-même.

— Non, j'ai dit que je vous avais demandé la monnaie d'un billet de cent dollars, mais pas de celui-ci.

Le policier qui, jusqu'alors, a laissé l'initiative à son collègue coupe court à la discussion.

— Ce n'est pas la peine de faire un scandale. Venez avec nous, mesdemoiselles, vous expliquerez votre histoire au commissaire !

Les jeunes filles échangent des regards angoissés.

Que faire ? Milly, Bess et Marion attendent qu'Alice les sorte de cette impasse.

— Laissez au moins mes amies rentrer à la maison.

— Non ! répond l'homme brutalement.

Et les policiers les poussent toutes les quatre vers la sortie.

## chapitre 15

# *Un secours imprévu*

Les choses vont mal pour Alice et ses amies... Comment vont-elles se tirer d'une situation aussi délicate ?

Comme elles sortent du restaurant, une voiture s'arrête devant une des pompes à essence et un jeune homme très grand en descend. À la vue des deux policiers et de leurs prisonnières, il sursaute.

— Hé bien ! Qu'est-ce qu'il se passe ici ? Pourquoi est-ce que vous faites cette tête toutes les quatre ?

Alice lève les yeux et reconnaît Karl, le fils de M. Auerbach.

— Monsieur Auerbach ! s'écrie-t-elle, tout heureuse. Il faut nous aider ! On veut nous arrêter !

— Qu'est-ce que c'est que cette plaisanterie ? demande l'homme, ahuri.

— Malheureusement, ce n'en est pas une, répond Alice.

En quelques mots, elle lui résume l'incident. Les policiers la laissent parler, sans toutefois perdre leur expression sévère. Quand elle a terminé, Karl se tourne vers eux.

— Écoutez-moi, messieurs. Rien ne vous autorise à emmener ces jeunes filles. Vous n'avez pas de mandat d'arrêt. Je connais la loi et vous demande de les laisser partir tout de suite.

— Qui êtes-vous pour vous permettre de nous donner des ordres ? demande sèchement le policier.

— Je ne vous donne pas d'ordre et je m'appelle Karl Auerbach. Ces demoiselles sont des amies de ma famille. Mon père habite chez la grand-mère de l'une d'elles.

— Si vous croyez que ça nous empêchera de les emmener !

— Cette histoire de faux billet ne tient pas debout ! riposte Karl Auerbach.

— Nous connaissons votre nom, monsieur, intervient l'autre policier. Si vous vous portez garant de ces demoiselles, cela nous suffira pour l'instant.

— Vous ne savez-peut-être pas non plus qui vous venez d'interpeller, répond Karl. Je vais vous présenter deux de ces jeunes filles !

Et les désignant à tour de rôle, il nomme :

— Milly Barn est la petite-fille de Mme Barn, propriétaire de la ferme « les Baies Rouges ». Et vous avez probablement entendu parler du père d'Alice Roy, dont la réputation n'est plus à faire...

— James Roy, l'avocat de River City ? interrompt le policier, éberlué.

— Oui. Alors autant dire que vous avez intérêt à avoir des preuves formelles si vous comptez arrêter sa fille..

— Pourquoi ne nous avez-vous pas dit qui vous étiez ? demande le policier en s'adressant à Alice.

— Parce que vous ne m'en avez pas donné l'occasion ! Vous n'écoutiez que ces deux personnes !

Et, énervée, elle indique du regard la caissière et le pompiste.

— Je persiste à croire que c'est elle la coupable, proteste la femme. Si ce n'est pas elle qui m'a donné ce billet, qui est-ce alors ?

Cette question produit comme un déclic dans l'esprit d'Alice. Comment ne s'est-elle pas souvenue de l'incident du billet donné par le conducteur arrogant ?

— Je suis sûre que c'est l'automobiliste qui était à la pompe en même temps que moi, répond-elle à la caissière.

Puis, se tournant vers le pompiste, elle ajoute :

— Vous vous souvenez, il a sorti une énorme liasse de billets de cent dollars et un de ses camarades s'est vanté d'en avoir une encore plus grosse.

— Mais c'est vrai ! s'exclame le pompiste,

éberlué. Vous avez raison, mademoiselle ! Je me rappelle maintenant !

Les deux policiers se tournent vers les jeunes filles.

— Excusez-nous, mesdemoiselles, mais la bande de faux-monnayeurs qui opère dans la région nous met sur les dents. Plusieurs femmes font circuler les billets, c'est pour ça que nous avons cru ce que nous disaient les gérants de la station.

Sans rancune, Alice et ses amies disent au revoir aux inspecteurs et montent en voiture. Au moment de démarrer, Alice se rappelle le message codé. Il pourrait peut-être intéresser les policiers. Et puis, elle n'a plus le temps d'aller le porter à Norwick.

Même si elle n'a aucune preuve que les automobilistes qui ont remis le faux billet sont en relation avec le mystérieux « Ralph » du bureau 305, elle en a l'intuition.

« Mieux vaut confier ce papier aux policiers, se dit-elle. Ils arriveront peut-être à déchiffrer le contenu ! »

Elle descend de voiture et court remettre le message aux policiers. Elle leur explique la manière dont le prétendu courtier du bureau 305 les a reçues, elle et Milly, puis elle parle d'Yvonne Wong.

— Vous la connaissez ? demande aussitôt un des policiers.

— Non. J'ai vu son nom dans un journal et j'ai

acheté du parfum dans une boutique où elle était vendeuse.

— Nous sommes au courant, dit le policier assez sèchement.

Alice surprend le regard entendu qu'il échange avec son camarade. Craignant d'avoir été mal comprise, elle reprend toute l'affaire depuis le début. Toutefois, elle ne parle pas de ses soupçons au sujet de la grotte. Elle compte mener elle-même une enquête sur ce point.

Les deux hommes paraissent intéressés par le récit d'Alice mais quelque chose dans leur attitude la déconcerte. Perplexe, elle les quitte rapidement et rejoint ses amies.

— Pourquoi est-ce que tu nous as plantées là sans rien dire ? proteste Bess. On est très en retard, on n'arrivera jamais en ville à temps. Et puis cet incident m'a bouleversée. J'en tremble encore.

— Allez, calme-toi. C'est arrangé maintenant. Et tant pis pour la virée en ville, on va repartir en même temps que M. Auerbach.

Réconfortée, Bess remercie Karl Auerbach, qui s'est approché du cabriolet, et le couvre de tant d'éloges qu'il coupe court, tout confus.

— On y va ? dit-il à Alice. Je ne voudrais pas arriver trop tard aux Baies Rouges parce que je dois repartir dès ce soir.

Après avoir fait le plein, Alice s'engage sur la route. Karl a déjà pris une bonne avance.

— Accélère ! dit Marion à Alice. Je n'ai pas envie de perdre notre « sauveur » de vue.

— Oui, approuve Bess, on ne sait jamais ce qui pourrait encore nous arriver.

Pour leur faire plaisir, Alice roule aussi vite qu'elle le peut, en veillant à ne pas dépasser la limite autorisée.

Les deux policiers voient la voiture disparaître au détour d'un virage.

— Bizarre, dit l'un d'eux, on dirait qu'elles sont bien pressées de partir, les jeunes demoiselles. Tu y crois, toi, à leur histoire ?

— J'en sais trop rien. En tout cas, elle ne manque pas d'audace, la petite blonde. Et les gens audacieux, il faut les tenir à l'œil.

Le premier policier hoche la tête.

— Bah ! On peut toujours essayer de voir ce qu'on peut tirer de ce message, tout en surveillant les jeunes filles. Elles n'ont pas l'air de voleuses, mais sait-on jamais.

— Tu as raison. La blonde aux cheveux bouclés a beau être la fille d'un avocat célèbre, ça ne la met pas à l'abri de tout soupçon ! Suivons-la, on verra bien si elle va aux Baies Rouges comme elle l'a dit.

Là-dessus, les deux policiers enfourchent leurs puissantes motos et s'élancent sur la route.

## chapitre 16

# Nouvelle rencontre

Sans se douter qu'elles sont suivies, les jeunes filles mènent bon train. Au bout de quelques kilomètres, elles rattrapent la voiture de Karl Auerbach.

Encore tout émues par les événements qui viennent de se produire, les trois amies ne tournent pas la tête et ne songent pas à regarder dans le rétroviseur. Si bien qu'elles ne voient pas les deux motos qui se maintiennent à deux cents mètres derrière le cabriolet.

— Quand je pense qu'on a failli passer la nuit en prison ! dit Bess. J'en frémis encore.

— Ce n'est vraiment pas la peine, réplique Alice. Le commissaire n'aurait pas pu nous garder sur une simple accusation. Il lui aurait fallu des preuves.

— C'est possible, intervient Milly, mais je suis soulagée d'avoir évité un nouvel interrogatoire.

— Tu as raison, répondit Alice. D'ailleurs, à ce propos, je ne sais pas trop quoi penser des deux policiers. Leur attitude m'a paru étrange, même après l'intervention de Karl.

— Pourtant, s'ils ne t'avaient pas crue, ils ne nous auraient pas laissées partir, remarque Milly.

— Oui, c'est vrai, dit lentement Alice. Mais je suis persuadée qu'ils avaient quelque chose derrière la tête.

— Voilà qu'elle se met à lire dans les pensées maintenant ! plaisante Marion. Dis-nous plutôt ce que tu leur as raconté tout à l'heure.

Alice s'exécute avec plaisir et conclut :

— Je suis de plus en plus convaincue que quelqu'un à River Hill se livre à des activités malhonnêtes.

— Tu penses aux faux billets ?

— Oui et non.

— Mais il faut des machines très perfectionnées pour faire de la contrefaçon, objecte Milly.

— Je sais, dit Alice. Mon hypothèse est peut-être stupide. Ça m'est venu pendant que je parlais avec les policiers. Quoi qu'il en soit, il va y avoir une enquête et on découvrira bien ce que trame ce déplaisant « M. Ralph ».

La nuit commence à tomber lorsque les deux voitures s'engagent dans le domaine des Baies

Rouges. Karl se garde de faire la moindre allusion à ce qui s'est passé à la station-service. Mais les jeunes filles s'en chargent, insistant sur le rôle déterminant qu'il a joué.

La soirée passe très vite, tant Karl Auerbach est d'agréable compagnie

— Je regrette beaucoup de devoir m'en aller, dit-il quand dix heures sonnent à l'horloge. On m'attend de très bonne heure à mon bureau demain.

Après son départ, les jeunes filles bavardent encore un moment dans la chambre d'Alice et Milly. Marion taquine Alice :

— Moi je trouve que Karl a l'air de beaucoup t'admirer... Que va dire Ned ?

— Arrête de dire des bêtises ! riposte Alice. C'est toi qui lui plais.

— Il faut bien admettre qu'il est sacrément séduisant... Mais l'idée d'avoir M. Auerbach pour beau-père ne me dit rien du tout ! répond Marion en riant de bon cœur.

— Oh ! pauvre M. Auerbach ! Il est quand même gentil ! proteste Milly.

— Assez plaisanté, dit Alice en étouffant un bâillement. Je tombe de sommeil. Bonne nuit les filles.

Le lendemain matin, elles se lèvent de bonne heure. Elles ont l'intention d'aller se promener dans la campagne et d'en profiter pour cueillir des mûres, mais au petit déjeuner Mme Barn leur fait changer de projet.

— Je suis désolée, dit-elle. Milly ne pourra pas vous accompagner. J'ai besoin qu'on me fasse quelques courses, et Rudolph a trop à faire pour que je l'envoie en ville.

— Ça ne peut pas attendre cet après-midi, Mamie ? demande Milly.

— Malheureusement non, ma petite. Si Mme Salisbury n'a pas sa tasse de café habituelle après le déjeuner, elle va faire la tête jusqu'à ce soir. Je vous aurais donné ma liste de courses hier, si vous n'étiez pas parties sans me prévenir.

— Je peux aller faire les courses à la place de Milly si vous voulez, madame, propose Alice. Elle est la seule à connaître les meilleurs endroits pour cueillir des mûres !

— Je ne voudrais pas t'ennuyer avec ça ! proteste Mme Barn.

Mais celle-ci finit par se rendre compte qu'Alice a vraiment envie d'aller en ville et elle accepte donc de lui remettre sa liste d'achats.

Alice part aussitôt. Elle roule depuis à peine cinq minutes, quand elle aperçoit une femme qui se presse sur la route poudreuse.

Elle boite légèrement et paraît très agitée.

Parvenue à sa hauteur, Alice arrête sa voiture et, passant la tête par l'ouverture de la glace, elle demande :

— Vous voulez monter ? Je vais en ville.

La femme lève les yeux et sursaute. Alice la reconnaît alors : c'est la blessée qu'elle a secourue quelques jours auparavant. Que fait-elle aussi loin de son camp ?

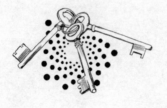

*chapitre 17*

# Une lettre importante

— Je vous en prie, montez, insiste Alice en voyant la femme hésiter. Vous devez encore avoir mal à la cheville.

La femme s'approche de la portière qu'Alice a ouverte.

— Merci beaucoup, dit-elle. Vous êtes très gentille. J'accepte parce qu'il faut que j'arrive en ville le plus vite possible.

Avant de monter, elle jette un regard inquiet derrière elle, comme si elle craignait d'être vue.

Elle pousse un soupir de soulagement en prenant place à côté d'Alice. Son visage est d'une pâleur livide, sa respiration haletante.

— Vous n'aviez tout de même pas l'intention d'aller à pied aussi loin ?

— Il le fallait, dit la vieille femme d'une voix blanche.

133

— Il y a pourtant des gens qui ont des voitures au camp, non ?

— On ne nous accorde pas beaucoup de liberté, répond-elle.

— Vous ne devriez pas marcher avec votre entorse, elle risque de s'aggraver. Votre cheville est enflée.

— Oh, à peine ! D'ailleurs, je n'ai presque plus mal, répond la femme en évitant le regard d'Alice. Personne au camp ne sait que je suis partie. Je... je n'ai prévenu personne.

De nouveau, elle jette un coup d'œil par-dessus son épaule.

Essaie-t-elle de s'enfuir ou craint-elle la colère des dirigeants de la secte ?

La première fois qu'Alice l'a vue, elle s'est imaginé avoir devant elle une femme très âgée ; maintenant, elle s'aperçoit que ce sont les soucis qui lui ont creusé des rides sur son visage. En fait, cette femme n'a pas plus de cinquante ans.

Alice brûle d'envie de lui poser des questions personnelles et d'en apprendre davantage sur le mystérieux culte qu'elle pratique ; l'attitude lointaine et réservée de la femme l'avertit qu'il vaut mieux s'en abstenir.

La jeune fille choisit une autre tactique. Elle s'absorbe dans la conduite de la voiture et garde le silence. Peu à peu, l'inconnue se détend et paraît se rassurer.

— Est-ce que je vais trop vite ? demande enfin Alice, pour relancer la conversation.

— Non, répond vivement sa passagère. J'ai hâte d'être arrivée.

Elle hésite avant de poursuivre :

— J'ai une lettre très importante à poster.

— On peut s'arrêter à la première boîte aux lettres sur la route si vous voulez. Ça vous évitera d'aller jusqu'à la ville. Ou, si vous préférez, vous pouvez me confier votre lettre.

— Non, merci, marmonne la femme. Vous êtes très gentille mais je préfère la poster moi-même. Je... je me sentirai plus rassurée.

Comme Alice ne répond pas, elle reprend :

— Je n'ai rien contre vous. Je vous suis très reconnaissante de tout ce que vous avez fait pour moi. Mais... mais je ne veux pas vous attirer des ennuis.

— Je ne vois pas comment je pourrais m'attirer des problèmes en vous rendant un service aussi minime, réplique Alice avec un sourire.

— Vous ne pouvez pas comprendre, répond la malheureuse, dont l'agitation est visible. Il y a des choses que je ne peux pas vous expliquer. Nos chefs vont être très en colère quand ils découvriront que j'ai quitté le camp, même pour quelques heures.

— Mais pourquoi est-ce que vous acceptez ça ?

demande Alice, agacée. En fait vous êtes presque traités comme des prisonniers.

— C'est vrai que personne n'est heureux là-bas, reconnaît la femme.

— Enfuyez-vous tout à fait et pas seulement pour quelques heures !

La passagère paraît surprise. Elle la scrute du regard, puis détourne la tête.

— Je le ferais si j'en avais le courage, dit-elle enfin.

— Je peux vous aider.

— Non ! Surtout pas ! Il ne faut pas que vous entriez en relation avec ces gens. Je ne peux pas encore m'échapper. Bientôt peut-être...

— Je ne vois vraiment pas ce qu'on pourrait faire contre vous, insiste Alice. Vous êtes libre !

— Non. Plus maintenant ! répond la femme avec tristesse. Je suis trop impliquée. Il ne me reste plus qu'à attendre que les choses changent.

— Aidez-les à changer ! réplique Alice un peu brutalement. Il faut que vous acceptiez mon aide.

— Non, je me reprocherais toujours de vous avoir embarquée dans cette affaire... C'est un affreux guêpier, vous savez.

En disant ceci, la malheureuse ne peut réprimer un frisson. À son tour, Alice éprouve une certaine peur.

La jeune fille comprend que sa passagère la met en garde contre un sérieux danger. La sagesse voudrait qu'Alice oublie tout ce qui concerne la secte du Chêne Centenaire et la grotte mystérieuse. Mais elle sait qu'elle ne pourra jamais renoncer à poursuivre son enquête alors qu'elle est au bord d'une découverte importante.

Si le courage d'Alice ne faiblit pas, elle élucidera le mystère lors de la prochaine cérémonie nocturne. Elle y est fermement résolue.

## chapitre 18

# Un bavardage utile

La compagne d'Alice éprouve un visible soulagement lorsque la ville apparaît à un détour de la route.

— Est-ce que vous pouvez me déposer devant la poste ? demande-t-elle à la jeune fille.

— Vous voulez que je vous ramène ensuite ? propose Alice. Je repars pour les Baies Rouges dans moins d'une heure. Je n'ai qu'une ou deux courses à faire ici.

— Vous êtes très gentille, mais je préfère rentrer à pied.

Alice comprend qu'il est inutile d'insister. Pourquoi cette femme redoute-t-elle qu'on les voit ensemble ? Cette question lui brûle les lèvres, mais elle se retient de la poser.

Elle quitte sa passagère devant le bureau de poste central et se rend ensuite dans une épicerie.

Pendant qu'elle attend à la caisse, deux femmes entrent dans le magasin. Elles parlent avec beaucoup d'animation et ne prêtent pas attention à Alice. Celle-ci ne s'en soucie guère jusqu'à ce que, tout à coup, un nom la fasse sursauter.

— Je ne comprends pas pourquoi Mme Barn ne se débarrasse pas de ces gens ! dit l'une des deux acheteuses.

— Elle doit avoir drôlement besoin d'argent, répond l'autre. Mais je pense que quelqu'un devrait lui en parler. Quelle idée de danser au clair de lune avec des robes de druides ! Il faut avoir perdu la tête !

— Je suis bien d'accord ! À la place de Mme Barn, je n'aimerais pas les avoir aussi près de chez moi.

— J'ai entendu dire qu'il y aurait une nouvelle réunion ce soir : une cérémonie mystique, à ce qu'il paraît...

Comme un vendeur s'approche d'elles, les deux femmes cessent leur bavardage. Alice en a assez entendu.

« Les affaires se gâtent, se dit Alice. Il faut agir vite, sinon tout le monde va critiquer cette pauvre Mme Barn et cela risque de faire fuir les pensionnaires éventuels. »

Si les deux femmes ne se sont pas trompées, une réunion va avoir lieu le soir même au camp. L'occasion qu'Alice attend se présente enfin. Quelle chance ! Elle ne songe pas un instant à renoncer, malgré tous les avertissements qu'elle a reçus.

« Mais je ne veux entraîner personne dans cette aventure, décide-t-elle. J'irai seule. Je n'ai pas le droit de faire courir de risques à Milly, ou à Bess et Marion. »

Alice fait ses emplettes dans la boutique, puis elle se rend dans un magasin de tissus. Elle achète plusieurs longueurs de coton blanc et quelques articles de couture.

Elle reprend ensuite le chemin des Baies Rouges.

À son vif étonnement, elle n'aperçoit pas la femme qu'elle a emmenée à l'aller.

« Elle a dû prendre un raccourci à travers champs », se dit Alice.

Comme la jeune fille entre dans la cour de la ferme, Milly, Bess et Marion reviennent du bois, leurs seaux pleins de mûres. Elles aident leur amie à transporter les paquets dans la maison. Bess regarde avec curiosité le long rouleau qu'Alice porte sous le bras, mais elle se garde de l'interroger, car M. Auerbach et Mme Salisbury sont à portée d'oreille.

Aussitôt après le déjeuner, Bess propose une partie de cartes. Tous acceptent avec enthousiasme, à l'exception d'Alice.

— J'ai quelque chose à faire dans ma chambre, dit-elle, je vous rejoindrai plus tard.

— Allez ! Viens avec nous, insiste Marion. Sinon les équipes ne seront pas équilibrées.

— Désolée, mais ça ne peut pas attendre. Rudolph peut me remplacer.

Celui-ci accepte, et Alice monte sans regret dans sa chambre pour s'y enfermer. Elle déroule le tissu de coton, prend des ciseaux, du fil et une aiguille et se met à l'ouvrage.

Tout en taillant et assemblant ce qui va devenir un costume druidique, elle sifflote un air joyeux. Elle est tellement absorbée par son ouvrage qu'elle sursaute en entendant frapper à la porte. Avant qu'elle puisse répondre, ses amies font irruption dans la pièce.

— Mademoiselle Roy, que faites-vous ? demande Bess, soupçonneuse. Vous mijotez un mauvais coup : rien d'autre ne vous retiendrait à l'intérieur par un aussi bel après-midi.

Marion s'empare de la longue tunique à manches qui prend forme sur les genoux d'Alice et l'élève en l'air.

— Qu'est-ce que c'est que ça ?

— J'ai décidé de rentrer dans la secte des Fidèles du Chêne Centenaire, répond Alice en riant. Apparemment, ils célèbrent un rite ce soir. C'est ce que j'ai entendu dire en ville.

— Et tu nous cachais ça ! s'indigne Bess. Oublie-moi, je ne suis plus ton amie !

— Allez, ne t'emballe pas ! Je comptais vous

en parler avant de partir ce soir. Mais, je veux y aller seule : c'est sans doute dangereux et je ne veux pas que vous vous attiriez des ennuis par ma faute.

— Et moi, j'estime avoir le devoir de ne pas te laisser partir à l'aventure toute seule ! réplique Marion du tac au tac. Que ce soit dangereux ou amusant, on a toujours été ensemble et on sera ensemble ce soir encore.

— Est-ce que je peux vous accompagner aussi ? demande timidement Milly.

— Oui, bien sûr. À vrai dire, j'avais un peu peur de m'aventurer là-bas toute seule. Mais j'avais des scrupules à vous emmener avec moi.

— Oublie tes scrupules ! dit sèchement Marion. D'ailleurs, je ne pense pas que ces excentriques soient dangereux.

Alice ne répond pas. Elle n'est pas de cet avis.

— Avec quoi est-ce qu'on va confectionner nos costumes ? s'inquiète Bess.

— Il y a assez de tissu pour nous toutes, répond Alice. Cela dit, l'heure avance, si vous voulez être prêtes à temps, mettez-vous au travail !

En un clin d'œil, la chambre d'Alice se transforme en une ruche bourdonnante. Les jeunes filles n'osent pas utiliser la machine à coudre qui se trouve dans la lingerie, de peur d'attirer l'attention des pensionnaires ou de Mme Barn.

Enfin, elles enfilent leurs costumes. Elles éclatent de rire en se regardant les unes les autres.

— Tu as l'air d'un fantôme, Alice ! dit Marion. Tu me fais peur.

Elle se met à danser à la plus grande joie de ses amies.

— Au clair de lune, on ne pourra pas nous distinguer des membres de la secte.

À ce moment, une voix appelle d'en bas.

— Milly, viens mettre le couvert ! Le dîner est prêt.

Surprises, les jeunes filles s'empressent de se débarrasser de leurs tuniques, qu'elles plient tant bien que mal et cachent dans un tiroir de la commode.

— On n'a pas idée de s'enfermer tout un après-midi dans une chambre ! dit Mme Salisbury en fronçant les sourcils d'un air soupçonneux.

Ni Alice ni ses amies ne fournissent d'explication. Elles sont tellement agitées en pensant à l'aventure qui les attend qu'elles mangent du bout des lèvres le délicieux repas cuisiné par Mme Barn. Elles attendent à peine que les autres convives aient vidé leur assiette pour débarrasser la table. La vaisselle est faite et rangée en un temps record.

— Vivement que la nuit tombe ! soupire Marion, impatiente.

— Tu crois que Mme Salisbury et M. Auerbach ont l'intention de rester assis sous le porche long-

144

temps ? murmure Bess. S'ils nous voient partir, ils vont deviner où on se rend.

— Milly, ta grand-mère est au courant de ce qu'on va faire ? demande Alice.

— Il y a deux jours, je lui ai dit qu'on avait l'intention de faire un tour dans le camp à la première occasion, mais je ne lui ai pas précisé que c'était ce soir. Je préfère ne pas l'inquiéter.

L'obscurité s'épaissit et l'impatience des jeunes filles grandit. Plusieurs fois, elles scrutent du regard les collines lointaines sans y déceler le moindre signe d'activité.

— Tu es bien sûre que la cérémonie doit avoir lieu ce soir, Alice ? demande Marion.

— C'est ce que j'ai entendu dire en ville en tout cas.

— Il est encore un peu tôt pour se décourager, intervient Milly. Les membres de la secte ne célèbrent leurs rites que lorsqu'il fait nuit noire.

Les jeunes filles vont chercher leurs costumes dans la chambre d'Alice puis redescendent. Voyant que M. Auerbach et Mme Salisbury discutent avec animation sous le porche, elles sortent de la maison par-derrière et pénètrent dans le sous-bois. Il y fait très sombre et Bess prend Alice par le bras. Milly marche en tête, car elle connaît le moindre sentier.

Tout à coup un cri sauvage brise le silence de

la nuit. Les jeunes filles s'immobilisent puis se rapprochent les unes des autres.

— Qu'est-ce que c'était ? balbutie Bess, épouvantée.

— Un corbeau, répond calmement Alice.

Pendant l'après-midi, elles se sont amusées à la pensée d'entrer dans la grotte. Mais maintenant que la nuit est tombée, les choses leur apparaissent différemment. Alice devine que le courage de son escorte en train de faiblir.

— Dépêchons-nous ! dit-elle avec entrain. Sinon, nous allons manquer le spectacle.

## chapitre 19

# Danses nocturnes

Prenant les devants, Alice entraîne ses amies. La lune monte dans le ciel, des rayons pâles filtrent à travers les branches. Une brise légère fait bouger les feuilles... et trembler Bess.

Finalement, elles débouchent sur un sentier longeant la rivière.

— Faites attention maintenant, dit Alice à voix basse. Nous approchons du camp. Il y a peut-être des guetteurs qui surveillent les alentours.

— Je regrette presque d'être venue, murmure Bess. Il fait trop noir.

— Quand la lune sera plus haute, on y verra comme en plein jour, dit Alice. Mais, si tu veux rebrousser chemin, il est encore temps.

— Non, non, répond Bess. Je veux rester avec vous.

— N'aie pas peur, imbécile ! grommelle

Marion. Je n'ai pas l'intention de me laisser inti-
mider par qui que ce soit !

— Bravo ! dit Alice.

Elle pressent que l'heure est grave, mais préfère
ne rien dire à ses amies. Alors que Milly, Bess et
Marion prennent plutôt les membres de la secte
pour des gens à l'esprit dérangé, elle est pour sa
part convaincue qu'il s'agit de dangereux malfaiteurs.

De gros rochers et quelques arbres offrent des
abris sur le flanc de la colline. Tandis que les jeunes
filles gravissent la pente raide, le camp ne donne
aucun signe d'activité.

— J'ai l'impression qu'on est venu pour rien,
dit Marion, déçue.

— On est surtout parti trop tôt, lui rappelle
Alice. Séparons-nous et allons-nous cacher.

Marion et Bess s'accroupissent derrière un
énorme rocher, Milly et Alice derrière un gros buisson entouré de hautes herbes.

Pendant dix longues minutes, les jeunes filles
attendent, contenant avec peine leur impatience.

Soudain, Alice entend un grondement.

— Qu'est-ce que c'est ? demande-t-elle à voix
basse à Milly.

— On dirait une voiture ! répond Milly.

— Il y en a même plusieurs je crois.

— Elles traversent la prairie, dit Milly, étonnée.

Un instant plus tard, les deux jeunes filles aperçoivent un petit cortège de trois voitures.

— C'est bizarre que les conducteurs gardent leurs phares allumés, dit Milly.

Alice, elle, ne trouve pas cela étrange. Si les automobilistes veulent que leur danse soit observée, comme elle le pense, ils ont tout intérêt à éclairer la scène de leurs phares.

— Regardez ! dit Milly en tirant Alice par la manche. Ils sortent de leurs tentes !

Alice voit les silhouettes en longues tuniques blanches se diriger en procession vers les automobiles, garées maintenant près de l'épaulement. Elle compte six personnes en costumes. C'est peu.

« La plupart des fidèles ne viennent donc au camp que pour participer aux rites », se dit la jeune fille.

Si les deux amies ne peuvent pas entendre ce qu'ils se disent, elles parviennent en revanche à les voir assez distinctement. Douze personnes, hommes et femmes, descendent des voitures. Alice ne peut voir leurs visages.

Ils passent rapidement des robes blanches à cagoule, semblables à celles qu'Alice et ses amies portent sous le bras, et ils rejoignent les six autres. Des coups de klaxon et de sifflets retentissent.

— Ils cherchent à attirer l'attention des gens du coin sur leurs cérémonies, murmure Alice à l'oreille de Milly. Sans doute pour les effrayer et leur passer l'envie de franchir les limites du camp.

Les membres de la secte s'avancent en direction d'un grand chêne autour duquel ils forment un cercle qui s'élargit et se resserre au rythme de leur danse. Alice juge que le moment est venu de se joindre à eux. À ce moment-là, un léger bruissement se fait entendre derrière elle. Des branches remuent.

Alice sursaute, s'attendant à voir un membre de la secte bondir sur elle.

Ce n'est que Bess et Marion.

— Il est temps de passer à l'action, non ? chuchote Marion à l'oreille d'Alice.

— Oui, vite ! Déguisons-nous !

Cachées derrière des buissons, les quatre jeunes filles enfilent leurs tuniques et se couvrent la tête d'une cagoule.

— Attends ! murmure Alice, en retenant Marion par l'épaule. On va se faire remarquer si on fait irruption au milieu du groupe toutes les quatre à la fois. Il faut entrer dans le cercle l'une après l'autre.

— J'ai les genoux qui tremblent, dit Bess, d'une voix faible. Je ne vais jamais réussir à danser.

— Reste ici, si tu préfères, lui dit Alice. D'ailleurs, ce serait bien que l'une de nous fasse le guet. Comme ça, elle pourra aller chercher du renfort si les choses se gâtent.

— Ce n'est pas une mauvaise idée, approuve Marion. Alors, tu restes, Bess ?

— Jamais de la vie ! Je préfère encore aller dans la grotte.

— Qu'est-ce qu'on fait alors ? demande Alice. Vous voulez qu'on tire au sort ?

— Inutile. Il vaut mieux que ce soit moi, déclare Milly. Je connais les environs sur le bout des doigts.

— C'est vrai, dit Marion. Allez, viens, Alice. Sinon, il sera trop tard.

— Bonne chance ! chuchote Milly, comme Alice, Bess et Marion s'éloignent une à une.

Centimètre par centimètre, courbées en deux, elles gravissent le reste de la colline. À trois mètres du cercle des Fidèles, elles s'accroupissent à l'abri d'un gros buisson.

Elles osent à peine respirer, de peur de révéler leur présence. Alice fait signe à ses compagnes qu'elle va se lancer. Bess et Marion acquiescent. Maintenant que le moment fatal approche, Marion, elle-même, commence à perdre son enthousiasme.

Le cœur d'Alice bat plus vite que d'habitude mais elle n'a pas peur. Avec un sang-froid surprenant, elle attend l'instant propice et, agitant les bras au même rythme que les « Fidèles », elle se glisse dans le cercle.

À son grand soulagement, elle constate que son entrée est passée inaperçue.

« Pourvu, se dit-elle, que Bess et Marion aient la même chance ! »

Elle ne se tourmente pas trop au sujet de Marion, mais Bess risque d'être paralysée par la peur et de commettre une gaffe irréparable.

À ce moment, le cercle se rompt et chaque fidèle se met à tournoyer sur lui-même, à avancer et reculer dans un désordre apparent.

Marion profite de cette évolution pour se joindre aux danseurs. Bess hésite. Marion et Alice commencent à désespérer lorsque, rassemblant son courage, Bess fait le grand saut.

— Ne nous éloignons pas les unes des autres ! lui dit à mi-voix Alice. Il ne faut pas qu'on se perde de vue.

Les jeunes filles ont tout de suite compris que le rite ne repose sur aucune base mystique. Elles se sentent bêtes de sauter et de tournoyer ainsi. Les plaisanteries qu'échangent les pseudo-fidèles leur confirment qu'ils ne prennent pas la cérémonie au sérieux.

— Combien de temps allons-nous encore tourner les bras comme des imbéciles ? J'en ai assez de faire le guignol, marmonne l'un d'eux.

— Bah ! Je suppose que les chefs vont bientôt donner le signal. Les gens du pays n'y verront que du feu, répond son voisin.

— On les a bien eus, c'est sûr ! Pourtant je trouve cette idée de culte un peu enfantine.

— Pas si enfantine que ça, grommelle un troisième, dont Alice croit reconnaître la voix. Il y a quelques jours, je suis tombé sur une petite curieuse qui rôdait dans les parages. Le chef sait ce qu'il fait. Vous n'avez rien à dire.

À ce moment une voix rude s'élève :

— Ça suffit, on arrête ! Tout le monde dans la grotte !

Alice se demande ce qu'il faut faire, lorsque Bess lui saisit la main et la serrant avec force, murmure :

— Qu'est-ce qu'on fait, on entre ?

— Oui, répond Alice, très calme. On a encore des choses à apprendre !

Cela dit, comme elle regarde les silhouettes blanches se diriger en file indienne vers la caverne, elle aussi sent ses jambes flageoler.

Alice et ses amies suivent le mouvement, non sans une certaine inquiétude : ne se dirigent-elles pas tout droit dans un piège ? Une fois à l'intérieur, elles ne pourront plus faire demi-tour.

— Ne me lâchez surtout pas d'une semelle, chuchote Alice à ses compagnes. Quoi qu'il arrive, on ne doit pas se séparer.

Comme elles approchent de l'entrée, Alice voit une haute silhouette blanche en sentinelle sur le côté gauche. Le cœur lui manque quand elle comprend que chaque membre de la secte donne un mot de passe.

« On est cuites, pense-t-elle. Qu'est-ce qui va nous arriver ? »

Il est trop tard pour rebrousser chemin. Il ne leur reste qu'un seul espoir : échapper au contrôle de la sentinelle. Mais comment ?

Alice avance sur les talons de la personne qui la précède, aussi l'entend-elle murmurer :

— Kamar !

Le mot de passe ! Alice s'empresse de le répéter plus haut, et Marion et Bess l'imitent. La sentinelle ne paraît rien soupçonner.

Ce premier obstacle surmonté, elles ne peuvent retenir un soupir de soulagement. Elles suivent l'étrange procession qui descend la pente d'une galerie froide et humide. Celui qui marche en tête a une torche à la main. Alice et ses amies, qui sont presque les dernières, se trouvent dans la pénombre.

— Où est-ce qu'on va ? chuchote Bess.

Alice lui fait signe de se taire. Elle a conscience qu'un danger les menace.

Une seconde plus tard, Bess trébuche sur un objet placé en travers de la galerie. Alice la retient pour l'empêcher de tomber. Elles descendent encore... et encore... puis, tout à coup, entrent dans une sorte de chambre faiblement éclairée.

Les membres de la secte s'assoient en rond sur le sol. Les jeunes filles suivent leur exemple. Tandis qu'elles attendent, immobiles, elles perçoivent une odeur assez agréable. En un éclair, Alice reconnaît le parfum oriental. C'est donc bien un signe de reconnaissance.

Une silhouette blanche passe près d'elle et un effluve plus fort lui chatouille les narines. La personne qui vient de la frôler et répand cette forte senteur doit être le chef. Cette hypothèse est bientôt confirmée. L'homme retire sa cagoule et promène un regard approbateur sur le groupe.

Alice n'est pas étonnée : elle a déjà vu cet homme à la station-service, sur la route des Baies Rouges. Elle se doutait qu'il était impliqué dans l'affaire du faux billet de cent dollars. Ses compagnons l'appelaient Maurice.

— Tout le monde est là ? dit-il rudement.

Il compte une à une les silhouettes blanches. Alice et ses amies retiennent leur souffle, la gorge nouée par la peur. Il manque sans doute trois personnes, car le chef ne remarque pas les nouvelles recrues. Quelle chance !

— Bien ! dit-il. Passons aux choses sérieuses. Snigg, viens faire ton rapport !

À ces mots, une silhouette blanche se lève, retire sa cagoule et Alice reconnaît instantanément l'homme du bureau 305 !

« Ralph Snigg, réfléchit-elle. J'ai déjà entendu ce nom-là quelque part... à moins que je ne l'aie lu dans un journal. »

La voix du chef s'élève de nouveau.

— Alors, on t'écoute. Qu'est-ce qu'il s'est passé ? Tu avais l'air un peu inquiet.

— Oui. Ce n'est rien de précis, mais hier j'ai vu un homme rôder autour de l'immeuble de River Hill. Il avait tout l'air d'un policier en civil. Si tu veux mon avis, il est temps de mettre les voiles. Ce petit jeu ne peut pas durer éternellement.

— C'est à moi de le décider ! réplique sèchement le chef. Nous allons rester ici encore une semaine, puis nous chercherons un autre endroit. Qu'est-ce qui te fait croire que la police est sur nos traces ? On n'a rien fait qui puisse attirer leur attention.

— Si. On travaille de nouveau avec Yvonne Wong.

— Et voilà ! l'interrompt une voix féminine. Ça va encore être de ma faute ! Chaque fois qu'il y a un problème, il faut que ce soit à cause de la pauvre Yvonne !

Alice se retient pour ne pas laisser échapper un cri. Ainsi, elle ne s'est pas trompée : Yvonne Wong se livre bien à des activités douteuses.

— Si on vous blâme, c'est qu'il y a des raisons ! rugit le chef en se tournant vers elle. Est-ce que vous pouvez nous dire pourquoi vous avez vendu un flacon de ce parfum à des inconnues ?

— Je vous ai déjà dit que je n'avais pas eu le choix. Ces filles me l'ont presque arraché des mains. Et puis, où est le mal ? Ce n'était que des gamines capricieuses !

— Non ! rétorque Snigg, d'un ton sarcastique. Vous êtes tellement stupide que vous ne vous êtes même pas rendu compte que cette désobéissance pourrait nous conduire tout droit en prison. Quand

Peter a pris le train pour venir ici, il a senti le parfum et en a conclu que la jeune fille qui le portait avait un message à lui transmettre ! Heureusement qu'il a eu suffisamment de présence d'esprit et qu'il s'est tu dès qu'il a compris son erreur.

Sur ces mots, le chef, qui, Alice va l'apprendre par la suite, se nomme Maurice Fork, se tourne de nouveau vers Snigg.

— Inutile de vous disputer avec Yvonne. Elle restera avec nous aussi longtemps que je le jugerai bon. Compris ?

Snigg baisse la tête, furieux.

À l'abri sous sa cagoule, Alice observe le visage du chef. Il a l'air beaucoup plus rusé et bien plus intelligent que ses subordonnés. Elle note qu'il y a de l'eau dans le gaz entre Yvonne et Snigg ; apparemment celui-ci en veut à Fork de lui imposer la jeune femme.

— Autre chose encore, reprend Snigg. Il serait bon de changer notre code.

— D'accord, répond le chef. Tu en auras un autre dans deux jours.

Après avoir interrogé trois autres membres de l'association – dont les réponses n'apprennent rien de nouveau à Alice – il ordonne :

— Tous à l'atelier ! Je vais vous distribuer l'argent pour la semaine qui vient.

Qu'elles le veuillent ou non, Alice et ses amies n'ont aucun moyen de s'échapper. D'ailleurs l'idée ne les effleure même pas. Sans hésiter, elles suivent les autres dans une pièce très éclairée.

Ce qu'elles voient les stupéfie !

*chapitre 21*

# Les faux-monnayeurs

En pénétrant dans cette vaste salle, Alice a l'impression de se trouver dans l'imprimerie de la Banque nationale !

Un peu partout, il y a des presses à main et, sur une longue table, des plaques gravées. Le long d'une paroi, des piles de billets, réunis en liasses, sont alignées ; des planches imprimées jonchent le sol. C'est la première fois qu'Alice contemple autant d'argent à la fois !

Dans tous les coins où elle promène son regard, elle ne voit que des billets de cent dollars. Certains, encore humides, sèchent sur des tréteaux.

Voilà donc le secret de la grotte ! La fameuse secte n'est qu'une association de faux-monnayeurs ! Les pièces du puzzle se mettent en place toutes seules et les liens entre les divers membres de la bande des faussaires apparaissent enfin clairement.

Maintenant que plus aucun mystère ne subsiste, Alice n'a qu'une seule envie : alerter la police.

La jeune fille fait comprendre ses intentions à ses amies en leur pressant le bras.

Discrètement, elles tentent de sortir de l'atelier mais Snigg en barre l'entrée. Aucune chance de passer par là, il leur faut se résigner à attendre le moment propice.

Aussi longtemps que la plupart des membres de l'organisation gardent leurs costumes et leur cagoule, les jeunes filles sont plus ou moins en sécurité. Toutefois, quelques-uns commencent à se débarrasser de l'encombrante tunique. La situation devient de plus en plus critique.

Sans perdre son sang-froid, Alice examine le visage des travailleurs démasqués. À l'exception d'Yvonne Wong, de Snigg et du chef, elle ne les a jamais vus. En plus d'elles, seules six personnes restent cachées sous leurs habits de fantôme.

Apparemment, les faux-monnayeurs se sont limités à la reproduction de billets de cent dollars. Alice admire la finesse du chef qui a eu l'idée d'installer ses presses dans une grotte éloignée des villes, et de faire passer le groupe pour une secte un peu farfelue, qui inspire aux paysans un mélange d'indulgence et de crainte. Le bureau 305 sert à l'évidence de centre de distribution.

Après s'être assurée que personne ne la regarde,

Alice prend discrètement un billet, qu'elle glisse sous sa robe. Cela servira de pièce à conviction.

— Nous avons fait du bon travail, dit Maurice Fork en ramassant quelques liasses. Un autre mois comme celui-ci et à nous la belle vie !

— Il n'y aura pas d'autre mois, grogne Snigg. Te fais pas d'illusions, mon vieux ! La police est à nos trousses.

— Tu n'es vraiment qu'une mauviette..., dit l'autre, méprisant. Tu t'inquiètes pour un rien ! Ils ne nous trouveront jamais ici.

— C'est toi qui le dis ! ricane Snigg.

Fork se met à compter les liasses. Alice et ses amies commencent à avoir des sueurs froides dans le dos. Bientôt, les membres de l'organisation seront appelés un à un pour recevoir leur part de faux billets à écouler et ils retireront leur cagoule. Alice et ses amies doivent absolument fuir avant que ce soit leur tour... mais comment ?

Si seulement Snigg pouvait s'éloigner de l'issue ! Une pensée réconforte Alice malgré tout : normalement, Milly fait toujours le guet devant la grotte. Si elles n'arrivent pas à s'enfuir et qu'elles sont découvertes, Milly, inquiète de ne pas les voir revenir, ira chercher du secours à la ferme.

— Tiens-toi prête ! chuchote Alice à Marion, et dis-le à Bess. Si jamais cet homme s'écarte de l'entrée, on prendra nos jambes à nos cous !

Mais Snigg ne manifeste pas la moindre envie

de changer de place. Alice a même l'impression qu'il les surveille du coin de l'œil.

L'attente devient insupportable. Bess, tremblante, se rapproche d'Alice.

Maurice Fork a terminé sa tâche. Il se redresse, promène un regard froid sur les « fidèles » et ordonne :

— Enlevez vos cagoules. Nous allons distribuer les billets.

Le piège se referme ! Alice et ses amies sont perdues. À moins d'un miracle, elles vont rester prisonnières dans la grotte.

Alice décide de jouer le tout pour le tout.

— Vous êtes prêtes ? murmure-t-elle à ses amies.

Mais au même instant, une rumeur s'élève dans la grotte et, le garde posté à l'entrée de la caverne fait irruption dans la salle, traînant une mince forme blanche qui se débat de toutes ses forces. Il lui arrache sa cagoule.

C'est Milly !

## chapitre 22

# Prisonnières

Alice se retient pour ne pas céder à sa première impulsion et courir au secours de son amie. Comprenant que ce serait de la folie, elle se fige sur place. Marion esquisse un mouvement vers Milly, mais un coup d'œil d'Alice la retient à temps.

— Ne bouge pas ! murmure celle-ci d'une voix crispée.

Si la situation des jeunes filles était déjà critique, elle devient presque désespérée. Milly capturée, qui viendra à leur secours ? Personne à la ferme ne sait où elles se trouvent. Si Alice, Bess ou Marion laissent deviner que Milly est leur amie, leur dernière chance s'envolera du même coup.

— Lâchez-moi ! crie Milly en cherchant à échapper au garde.

— D'où est-ce qu'elle vient, celle-là ? demande Fork.

— Je l'ai aperçue derrière un buisson. Ça m'a paru bizarre. Alors je lui ai demandé le mot de passe et comme elle n'a pas pu répondre, j'ai compris qu'elle n'était pas des nôtres.

— Tiens, tiens ! Une espionne ! Vous allez regretter d'avoir joué les curieuses, ma petite, déclare Maurice dont le visage s'assombrit.

— Mais je n'ai rien fait de mal..., murmure Milly au bord des larmes. Je suis la petite-fille de Mme Barn, et j'avais juste envie d'assister à un de vos rites.

— Mais bien sûr ! Vous allez voir ce qu'on ce qu'on risque à se mêler de ce qui ne vous regarde pas.

Se tournant vers Snigg, il poursuit :

— Ralph, que personne ne sorte d'ici.

— Bien, chef ! répond son complice.

— Maintenant, je le répète : enlevez tous vos cagoules ! Et vite !

Le cœur battant, la gorge nouée par l'angoisse, Alice voit les différents membres de l'organisation se démasquer les uns après les autres. Elle reconnaît la femme qu'elle a secourue dans le bois.

Voyant que les trois jeunes filles n'ont pas obéi à l'ordre du chef, trois hommes s'avancent vers elles et arrachent leurs cagoules blanches.

Un silence de mort s'installe. Il est bientôt rompu par des cris hostiles qui s'élèvent de toutes parts. La colère et la peur se lisent sur les visages.

La voix suraiguë d'Yvonne Wong domine le tapage :

— Ce sont elles qui m'ont acheté le parfum !

Ralph Snigg tend à son tour un doigt vengeur vers Alice et vers Milly.

— Ces deux-là se sont présentées à mon bureau de River Hill en réponse à l'annonce que j'avais passée. Elles prétendaient chercher un emploi !

— Mais j'en cherchais vraiment un ! proteste Milly. Alice m'a accompagnée, parce que je ne connaissais pas la ville.

— Belle invention, ma jolie ! ricane le chef. Malheureusement, votre imagination ne vous servira pas à grand-chose ici.

— Maurice ! Je t'en prie, ne sois pas trop dur avec ces filles, implore une voix timide. Je suis sûre qu'elles n'avaient pas de mauvaises intentions.

Alice se retourne vivement : la personne qui vient de parler en leur faveur est la femme qu'Alice a aidée à regagner le camp.

— Pas de mauvaises intentions ! raille l'homme. À qui tu veux faire croire ça ! Elles viendront probablement nous porter des douceurs en prison ! Ça te ferait plaisir de me voir derrière les barreaux, pas vrai ? Mais quelle idée j'ai eue d'épouser cette chiffe molle ! Allez, laisse-moi tranquille, si tu ne veux pas que je me fâche. Cette affaire ne concerne que moi !

En dépit de sa situation assez difficile, Alice ne

peut s'empêcher de plaindre cette pauvre femme. De toute évidence, elle n'est mêlée à cette bande de malfaiteurs que malgré elle. Sans doute n'a-t-elle aucune possibilité de leur échapper.

La femme de Fork recule et se tasse contre un mur. Alice espérait tout bas que son intervention ferait fléchir son mari, mais il n'en est rien

— Qu'est-ce que nous allons faire de cette vermine ? demande le chef en montrant les quatre jeunes filles. Nous ne pouvons pas les laisser repartir, elles en savent trop maintenant.

Yvonne Wong propose qu'on les ligote et qu'on les abandonne dans la grotte. Cette suggestion est repoussée par le chef.

— Non, ce serait stupide. Quand on constatera leur disparition, on les cherchera et on pensera forcément à la grotte. J'ai une meilleure idée : la cabane de l'autre côté de la rivière. Elle est en dehors du domaine et personne ne pensera à fouiller là-bas... et alors...

Il n'achève pas sa phrase. Mais son expression sinistre suffit à faire comprendre aux jeunes filles ce qu'il n'a pas osé dire : ils les enfermeront dans cette cabane et les laisseront sans eau ni nourriture ! Ainsi, elles ne risqueront pas de parler !

Un cri d'angoisse retentit dans la salle. Courant à Maurice Fork, sa femme le saisit par épaules et lui crie, désespérée :

— Non, non, Maurice ! Tu ne peux pas faire ça !

Le chef la repousse avec tant de force qu'elle va heurter le mur à trois mètres de là. Elle pousse un gémissement de douleur et tombe à terre.

— Oh ! crie Bess, horrifiée.

Les membres de l'association, eux-mêmes, paraissent atterrés.

— Silence ! ordonne Fork.

Cette brutalité donne un sursaut d'énergie à Alice. Tous les regards sont tournés vers la malheureuse et Alice saisit aussitôt sa chance. Prenant son élan, elle se rue vers la sortie, suivie de Bess et de Marion.

Ralph Snigg, toujours de garde près de l'entrée, est surpris. Il tente une parade, mais les jeunes filles le prennent à revers. Malgré tout, il rattrape Bess et Marion. Voyant que ses amies sont arrêtées, Alice hésite.

— Cours ! Cours ! hurle Bess.

Alice obéit, tandis que ses amies luttent contre leur assaillant pour le retenir le plus possible.

— Rattrapez-la ! crie Maurice Fork. Si jamais vous la laissez échapper, je vous étripe tous, je...

Personne n'entend la fin de la phrase, car le vacarme est à son comble.

Alice s'élance dans une galerie, puis une autre. Elle court à perdre haleine. Derrière elle, des pas résonnent, plus proches, toujours plus proches.

À force de tourner dans l'obscurité complète, elle craint de s'être perdue.

Alors qu'elle s'apprête à abandonner tout espoir de sortir de la grotte, elle aperçoit une faible lueur. La sortie est proche ! Personne ne semble la surveiller. Une seconde plus tard, elle se retrouve à l'air libre.

— Sauvée ! soupire-t-elle.

Mais au même moment, une silhouette sombre se dresse devant elle, et une main s'abat lourdement sur son épaule !

## chapitre 23

# Tout est perdu

— Hé là ! Pas si vite, ma belle ! ricane l'homme en attrapant Alice par le bras et en la faisant pivoter sur elle-même. Où cours-tu si vite, hein ?

Alice dévisage l'homme et le reconnaît : c'est celui qui se prénomme Hank. Avec l'énergie du désespoir, elle tente de se libérer de la poigne qui la retient.

— Il me semble que je t'ai déjà vue quelque part, marmonne l'homme, avec une satisfaction narquoise. Ah ! Je me rappelle. Tu es la fille à qui j'ai recommandé de se rester loin d'ici. Tu es toujours à la recherche de ta vache errante ?

Alice ne se donne pas la peine de répondre à ce sarcasme. Elle entend les pas qui se rapprochent et comprend que, dans une seconde ou deux, tout sera fini pour elle et ses compagnes. Elle se débat à coups de pied et de poing. Mais son ravisseur se contente de lui broyer le poignet et de rire à son cri de souffrance. Alice cesse de lutter. Immobile, résignée, elle attend ce que le sort lui réserve. La partie est perdue !

— Bravo, Hank ! dit la voix du chef. Sale petite garce ! Elle va nous payer ça !

La lune brille haut dans le ciel, éclairant l'entrée de la grotte presque comme en plein jour. Maurice Fork promène un regard inquiet autour de lui.

— Rentrez à l'intérieur, ordonne-t-il à ceux qui l'ont suivi. Il fait trop clair, mieux vaut ne pas se montrer. Il faut détruire en vitesse toutes les preuves, emporter le plus de matériel possible et vider les lieux !

Pendant qu'il parle, Alice croit percevoir un faible bruissement dans les taillis proches. Mais elle ne se fait pas d'illusion. Personne ne viendra les sauver, car elle a eu l'imprudence d'entraîner ses amies dans cette expédition sans prévenir qui que ce soit de ses projets.

Elle se laisse emmener sans résistance dans cette caverne qu'elle souhaitait tant explorer il y a encore quelques heures.

Courageusement, elle cherche à rencontrer le regard de ses trois compagnes, parce qu'elle les devine encore plus abattues qu'elle-même. La pauvre Bess lutte de toutes ses forces contre les larmes.

— Allez, courage, lui murmure-t-elle, lorsque

Hank la pousse sans ménagement auprès de son amie. On va trouver un moyen de s'échapper.

Bess hoche la tête tristement. Elle est trop consciente du danger pour se laisser bercer par de faux espoirs.

Les membres de l'organisation n'ont aucune intention de laisser aux jeunes filles une chance de s'évader. Sur un ordre du chef, six hommes vont chercher des cordes et leur lient solidement les mains et les pieds. Celui qui s'occupe d'Alice semble prendre un malin plaisir à serrer les nœuds jusqu'à arracher un cri à sa victime.

— Ficelée comme elle l'est, elle ne bougera plus ! ricane-t-il en regardant Maurice Fork.

— C'est pas le moment de plaisanter ! lui répond celui-ci. Je te rappelle qu'on n'a pas toute la nuit ! Si on ne se dépêche pas, on risque de se faire tous arrêter. Qui sait ce que ces maudites gamines ont manigancé ?

La menace fait son effet. Tous se mettent à l'ouvrage avec fébrilité. Folle d'angoisse, Alice comprend qu'ils détruisent toutes les preuves compromettantes.

Maurice Fork va de l'un à l'autre, reprochant aux uns leur lenteur, encourageant les autres. Sa femme s'est relevée et, le visage enfoui dans ses mains, tremblante, elle s'est assise. On dirait que ses jambes refusent de la porter. Une dernière fois, elle tente d'amadouer son mari. La voix brisée, elle implore son époux :

— Maurice, pourquoi est-ce que tu ne renonces pas à cette existence horrible ? Nous passons notre temps à fuir la police et à nous cacher. On était heureux autrefois... avant que l'argent ne te rende fou.

Son mari la fait taire d'une geste. Elle se recroqueville sur elle-même et ne dit plus un mot, mais son regard triste va d'une jeune fille à l'autre et Alice comprend qu'elle voudrait leur venir en aide. Sur les ordres de Fork, ses collaborateurs détruisent les machines intransportables. À plusieurs reprises, Maurice jette un coup d'œil impatient à sa montre.

— Pas la peine d'attendre que tout soit terminé ici pour aller mettre ces gamines en lieu sûr, dit-il à Snigg. Tu sais où est la cabane, Ralph, prends-les là-bas et enferme-les !

— Voilà le genre de mission que j'aime, répond Snigg avec empressement.

— Et détache-leur les pieds, ça ira plus vite. Pars avec Hank.

Aussitôt, Snigg pousse les quatre jeunes filles vers la sortie, les bras liés dans le dos. Alice fait quelques pas en chancelant, puis s'arrête net. Sur le seuil se tient... Karl Auerbach !

— Que personne ne bouge ! ordonne-t-il sèchement aux faux-monnayeurs. Votre camp est cerné !

# Il était temps

Karl Auerbach n'est pas seul. Derrière lui apparaissent sept hommes de la police fédérale, tous armés.

La surprise est telle que les membres de l'organisation semblent tétanisés. Pendant quelques secondes aucun d'eux ne bouge, ni ne prononce un mot. Enfin Maurice Fork pousse un cri de fureur et plonge vers la lampe allumée sur un tréteau.

Avant qu'il ait pu l'atteindre, un policier saisit le misérable par le bras.

— C'est fini maintenant ! dit-il. Nous avons enfin mis la main sur vous, Fork, et nous n'allons pas vous relâcher de sitôt.

— C'est ce qu'on verra ! répond l'escroc en défiant le policier du regard. La partie n'est pas terminée !

Sa femme se met à pleurer.

Malgré tout, Fork se laisse passer les menottes sans résister. En dépit de ses véhémentes protestations, Yvonne Wong est emmenée avec les autres dans un car de police garé au pied de la colline.

Pendant ce temps, Karl s'est empressé de libérer Alice et ses amies.

— Vous allez bien ? s'inquiète-t-il. Ces sales types ne vous ont pas maltraitées ?

— Non, répond Alice, mais vous êtes arrivé juste à temps.

Elle s'apprête à demander à Karl par quel miracle il est intervenu, lorsqu'elle voit un inspecteur s'avancer vers la femme de Maurice Fork, menottes à la main. Alice se précipite aussitôt auprès de la malheureuse.

— S'il vous plaît, ne l'arrêtez pas ! dit-elle au policier. Elle n'est pas coupable et elle a essayé de nous protéger.

— Je suis désolé, mademoiselle, mais je suis obligé de l'emmener. Si vous voulez intervenir en sa faveur par la suite, les magistrats en tiendront peut-être compte. Pour l'instant, elle est considérée comme complice.

— Elle ne mérite pas d'être jugée et encore moins condamnée ! insiste Alice. Elle a cherché à alerter nos services par courrier... Je le sais, c'est moi qui l'ai déposée devant la poste ! C'est son mari qui l'obligeait à faire tout ça. Elle avait peur de lui.

— Vous êtes certaine de ce que vous affirmez ?

— Oui, et mes amies pourront confirmer ce que je viens de vous dire. Nous avons tout entendu.

— Dans ce cas, nous verrons ce que nous pourrons faire pour elle.

Pendant que d'autres policiers transportent et chargent le matériel des faussaires dans des camions, Alice pose enfin à Karl la question qui lui brûle les lèvres :

— Comment avez-vous deviné que nous étions ici ?

— Je n'ai rien deviné du tout, confesse-t-il. J'ai pu intervenir tout à fait par hasard. J'ai passé la journée dans une ville pas très loin d'ici pour mes affaires et, au retour, j'ai décidé de m'arrêter aux Baies Rouges pour aller dire bonjour à mon père. À quelques kilomètres de la ferme, j'ai croisé les agents de la police fédérale. Ils cherchaient une grotte et m'ont demandé si je savais où il y en avait une.

— Et vous nous aviez entendues en parler ?

— Oui. Je n'étais pas très sûr de son emplacement exact, mais j'en avais une petite idée. Quand j'ai appris de quoi il était question, je me suis souvenu de l'histoire du faux billet et j'ai décidé d'accompagner les policiers. Quelle surprise quand je vous ai vues prisonnières !

— Si vous saviez à quel point j'ai eu peur ! soupire Bess, encore très pâle.

— Les inspecteurs connaissaient l'existence de cette bande de faux-monnayeurs, mais ils ne se doutaient pas qu'ils étaient aussi nombreux. Heureusement, nous avons progressé pas à pas, en nous cachant. Quand Alice a tenté la belle, comme disent les malfaiteurs, nous étions cachés dans les buissons. Nous avons préféré ne pas nous montrer, pour éviter que quelques faussaires n'en profitent pour s'échapper.

— Merci quand même de ne pas avoir trop tardé, dit Bess en riant, parce que j'étais prête à m'évanouir.

— Ce que je ne comprends pas, dit Alice en fronçant les sourcils, c'est comment les policiers ont appris que l'organisation se réunissait ici.

— Je ne sais pas non plus, déclare Karl : il faudra le leur demander.

À ce moment, l'officier qui commande le groupe des policiers revient dans la pièce où ils discutent. S'approchant d'Alice, la main tendue, il lui dit :

— Mademoiselle, permettez-moi de vous remercier pour l'excellent travail que vous avez accompli. Grâce à vous, nous avons élucidé une énigme difficile. Cela faisait des semaines que nous cherchions à mettre la main sur ces escrocs, sans réussir à les localiser.

Alice écarquille les yeux.

— Je ne comprends pas, balbutie-t-elle, confuse. Qu'est-ce que j'ai fait de si admirable ?

178

— Vous vous souvenez du message chiffré que vous aviez remis à un de mes hommes à la station-service ?

— Oui, tout à fait.

— C'est ce bout de papier qui nous a fourni l'information que nous attendions. Pour être franc, je dois avouer qu'au début mes hommes ne croyaient pas vraiment à l'histoire que vous leur avez racontée.

— Je m'en doutais un peu, répond Alice avec un sourire en coin.

— Nous n'avons donc pas attaché beaucoup d'importance à cette feuille. Mais il y avait quelque chose qui me tracassait, alors je me suis décidé à l'envoyer au service de cryptographie. La réponse nous est parvenue cet après-midi.

— Les experts ont réussi à déchiffrer le code ?

— Oui. Et il était particulièrement difficile. C'est pour ça que le délai a été si long.

— Et que disait le message ?

— Il était incomplet ; mais le nom de Maurice Fork y figurait. Cet individu nous a donné beaucoup de fil à retordre il y a quelques années, dans une affaire de contrefaçon de billets de banque. Nous avons deviné qu'il avait repris son activité favorite.

— Il était aussi question de la grotte ? demande Alice.

— Oui. Je ne pourrais pas vous citer le texte

de mémoire, mais il faisait allusion à une réunion qui devait se tenir dans la grotte de la colline, près des Baies Rouges, cette nuit même. Nous avons aussitôt réuni les forces nécessaires et nous nous sommes mis en route. Grâce à M. Auerbach, nous avons trouvé l'emplacement sans perdre de temps. Sinon, nous serions peut-être arrivés trop tard. Mademoiselle, nous vous devons des excuses. Mes hommes n'auraient jamais dû vous soumettre à un interrogatoire à la station-service.

— Je ne leur en veux pas, monsieur l'officier, répond gracieusement Alice. On peut facilement commettre des erreurs dans ce genre d'affaire et je suis contente que le mystère soit élucidé.

Il est plus de minuit lorsque les quatre jeunes filles, escortées par Karl Auerbach, quittent la grotte.

Dans l'agitation causée par les incidents de la soirée, il ne leur est pas venu à l'esprit qu'à la ferme, on s'était inquiété de leur longue absence.

— Tiens, les lumières sont encore allumées ! s'étonne Milly, comme elles approchent de la maison, précédées par Karl. Si Mamie a découvert que nous étions sorties, elle a dû se faire un sang d'encre.

À ce moment, Mme Barn sort précipitamment de la maison et accourt vers elles. Les yeux pleins de larmes, elle serre Milly dans ses bras.

— Oh, ma chérie, tu es là ! murmure-t-elle.

Quand je me suis aperçue que vous aviez disparu, j'ai eu peur que vous ne soyez montées sur la colline pour assister à une de ces cérémonies nocturnes qui vous intriguaient tant. Je l'ai dit à Mme Salisbury et elle m'a reproché de ne pas vous avoir formellement interdit d'y aller. Quand nous ne vous avons pas vues revenir après les danses, je suis devenue folle d'inquiétude. Les heures passaient, je ne savais pas quoi faire ! Je n'osais pas prévenir la police au cas où vous seriez juste parties vous promener, sans plus...

— Je suis désolée, Mamie ! murmure Milly. On ne pensait pas partir si longtemps. Je ne t'ai pas mise au courant parce que je ne voulais pas t'effrayer inutilement.

— Quelle idée aussi de laisser vagabonder des jeunes filles à des heures aussi tardives ! maugrée Mme Salisbury. D'ailleurs les Fidèles du Chêne Centenaire sont certainement fous, il n'y a qu'à les regarder virevolter comme des chauves-souris pour le comprendre !

— Vous avez bien raison, répond M. Auerbach, debout sur le seuil de la maison. Moins vous vous mêlerez de leurs affaires, mes petites, mieux ce sera !

— Sur ce point, je crois que tu as tort, papa, dit Karl, sortant de l'ombre. Grâce au courage et à l'intelligence de ces demoiselles, une bande de faux-monnayeurs a été arrêtée.

— Des faux-monnayeurs ! s'exclament en chœur Mme Barn et les deux pensionnaires.

Karl résume brièvement les faits. Il ne faut pas moins d'une bonne nuit à Mme Salisbury pour se remettre du choc que provoque le récit de l'équipée des quatre jeunes filles.

Le vieux M. Auerbach est très fier du rôle joué par son fils et il raconte l'histoire à tous ses amis sans se lasser.

Mme Barn embrasse Alice, Bess et Marion, en les remerciant de l'avoir débarrassée de locataires aussi indésirables. Malheureusement, le loyer mensuel qu'ils lui versaient risque de lui manquer.

— Tout ce remous autour des Baies Rouges va nous faire une mauvaise réputation, dit-elle. Les journaux ne vont pas arrêter de parler des faux-monnayeurs.

— La publicité a parfois des résultats imprévisibles, répond Alice. Après un tel scandale, il y aura probablement des curieux qui auront envie de voir la grotte où se cachaient des faux-monnayeurs.

— C'est aussi mon avis, approuve Karl. Est-ce que par hasard, vous auriez une idée là-dessus, Alice ?

Oui ! s'écrie-t-elle. Je suis sûre que ça peut marcher ! On va faire de cette grotte un lieu de visite et le prix des entrées permettra de rembourser vos dettes, Mme Barn !

## chapitre 25

# Nouvelle source de richesses

James Roy arrête sa voiture sur le bas-côté de la route et, avec un sourire amusé, étudie l'affiche publicitaire qui occupe un large panneau : « Suivez la flèche ! Visitez la magnifique grotte des Baies Rouges, l'antre des faux-monnayeurs les plus audacieux du siècle ! »

L'avocat éclate de rire.

« Ça, c'est du Alice tout craché, songe-t-il. En tout cas, je suis sur la bonne route. »

Il remet son moteur en marche et, bientôt, il arrive à hauteur d'un autre panneau : « Citadins épuisés par la vie trépidante des villes, venez vous ressourcer aux Baies Rouges, vous retrouverez santé et courage en dégustant les produits de la ferme. On y reçoit les hôtes à la journée ou à la semaine. »

« Je n'aurais jamais cru qu'elle penserait sérieusement à retourner cette mauvaise publicité à l'avantage de Mme Barn », se dit M. Roy, très fier de sa fille.

Par ce beau dimanche d'été, la route est très embouteillée. On dirait que tous les habitants de la région se sont donné le mot pour partir en excursion. Bientôt, M. Roy comprend ce qui les attire. Arrivant en vue de la ferme, il constate que de nombreuses automobiles stationnent devant.

« Avec tout ce monde, Alice ne s'apercevra même pas que je suis là ! » se dit-il.

Il n'a pas annoncé sa venue à sa fille, parce qu'il s'est décidé à partir de River City au dernier moment. Les récentes lettres de la jeune détective l'ont laissé un peu sur sa faim. En gros, elle écrivait : « Je m'amuse énormément. Nous sommes très occupées. Mme Barn et Milly ont encore besoin de nous. Est-ce que tu m'autorises à rester encore un peu ? »

Cela fait trois semaines qu'elle répète la même rengaine. Aussi M. Roy a-t-il pris la résolution d'aller voir sur place ce qui se passe.

Il gare sa voiture où il peut et monte à pied l'allée qui mène à la cour. Autour de la ferme, de jolies pelouses sont parsemées de balançoires, de parasols et de chaises longues. Plusieurs personnes, des pensionnaires sans doute, se promènent dans la cour et les allées.

Au moment où M. Roy arrive sous le porche, la porte s'ouvre et Alice se précipite dans ses bras.

— C'est inadmissible ! s'exclame-t-elle avec un grand sourire. Pourquoi ne m'as-tu pas prévenue que tu venais ?

— Je voulais te faire une surprise ! Alors c'est donc ça que tu appelles prendre des vacances tranquilles, vivre dans le calme des champs !

— Comment ? dit Alice, désappointée. Tu ne trouves pas cet endroit merveilleux ?

— Si ! La ferme et ses alentours sont très agréables, mais il y a un monde fou ! D'où viennent-ils tous ?

— D'un peu partout, répond Alice en riant. On a fait passer des annonces dans plusieurs journaux locaux.

— Il y a apparemment beaucoup de choses que j'ignore, dit M. Roy, d'un ton faussement sévère. Tes lettres sont remarquables de brièveté !

— Excuse-moi, répond Alice avec un sourire en coin. Nous avons été très occupées. Mme Barn a maintenant dix pensionnaires et toutes ses chambres sont retenues jusqu'à l'été prochain. Elle va faire ajouter une aile au bâtiment principal, comme ça, elle pourra recevoir plus de personnes.

Voyant que M. Roy fait la moue en regardant l'affluence de visiteurs qui déambulent dans la prairie, Alice reprend :

— En semaine, c'est très calme. Mais je reconnais que les dimanches sont épuisants. La plupart des gens que tu vois viennent seulement pour visiter la grotte. On leur vend des rafraîchissements et ils vont pique-niquer sur la colline.

— Te voilà transformée en femme d'affaires ! plaisante M. Roy. Et ton organisation rapporte beaucoup d'argent ?

— Oh ! oui, Mme Barn n'a plus une seule dette.

— Mais tu n'as pas peur que la curiosité suscitée par la grotte ne s'éteigne bientôt ?

— Si. Mais cette ruée de visiteurs aura permis de faire connaître les Baies Rouges et l'excellente cuisine de Mme Barn et surtout sa charmante hospitalité. Maintenant, elle peut être sûre d'avoir une maison toujours pleine de pensionnaires qui paieront le prix qu'elle demandera.

Bess, Marion et Milly sortent de la ferme. Alice présente Milly à son père. Elle ne ressemble plus du tout à la jeune fille au regard triste, pâle et maigre, qu'elle était quand les jeunes filles l'ont rencontrée dans le train. Avec son visage rond, son œil rieur, elle fait plaisir à voir.

Mme Barn se joint au petit groupe. Ses yeux s'emplissent de larmes lorsqu'elle raconte à M. Roy les exploits de sa fille et de ses amies.

— Elles ont été formidables, conclut-elle. Lorsqu'elles sont arrivées ici, tout allait mal, et regardez maintenant ma propriété : elle n'a jamais été aussi belle !

— Je suis fier de toi, Alice, dit M. Roy. Non seulement tu as aidé Mme Barn et Milly à sortir d'une passe difficile, mais tu as aussi permis d'arrêter des faux-monnayeurs.

— N'en fais pas trop, proteste Alice. Primo, je n'étais pas seule, secundo j'ai été très imprudente. Tu as bien failli perdre ta fille...

— Ne parlons pas de cela ! Tu vas me faire perdre tous mes cheveux à force d'inquiétude ! Tu ne pourrais pas te choisir des occupations moins dangereuses ?

— Enfin, papa ! Tu m'imagines enfermée dans un bureau du matin au soir ?

— Non, c'est vrai, reconnaît M. Roy. À propos, Alice, j'ai des nouvelles pour toi.

— Ah bon ?

— Maurice Fork et ses complices ont été condamnés à de lourdes peines de prison.

— Et sa femme ? s'inquiète Alice.

— Elle a été acquittée.

— Je suis rassurée !

Un somptueux dîner est servi en l'honneur de l'avocat. Ensuite, Alice et ses amies tiennent à lui faire visiter la grotte de la colline. C'est Rudolph, dans un costume étriqué, qui sert de guide aux touristes. Il semble très à son aise.

De retour à la maison, M. Roy attaque le sujet du retour d'Alice à River City.

— Maintenant que tout est en place, répond la

jeune fille, je crois qu'on peut rentrer chez nous. Qu'est-ce que vous en pensez, Bess et Marion ?

— Oui, il est temps de partir, répond Marion. Mes parents ont menacé de venir me chercher ici.

Milly et sa grand-mère s'élèvent avec vigueur contre ce projet. Mais, voyant qu'elles ne pourront pas retenir les jeunes filles, elles veulent leur donner une part des bénéfices gagnés grâce à la grotte. Alice et ses amies refusent catégoriquement d'en entendre parler.

— Ce n'est pas normal, proteste Milly. Vous avez travaillé dur pendant tout l'été !

— Et on s'est amusé comme des folles. On n'est pas prêtes d'oublier ces vacances. En plus, on a appris à traire les vaches et à soigner les poules. Tu ne penses pas qu'on a été payées cent fois plus qu'on ne le mérite ?

Mme Barn comprend qu'il est inutile d'insister. Les jeunes filles vont préparer leurs valises. C'est avec une vive émotion qu'elles quittent leur hôtesse et Milly qui, de leur côté, essuient discrètement leurs larmes.

Quelques minutes plus tard, le cabriolet est lancé sur la route, derrière la voiture de M. Roy.

— Et voilà une merveilleuse aventure qui se termine ! soupire Bess, non sans regret.

— Reconnais qu'elle valait bien le prix d'un parfum ! répond Marion en riant.

# Table

Composition *Jouve* – 62300 Lens

Imprimé en France par *Partenaires Book*® JL
N° dépôt légal : 69766 – mars 2006
20.07.1145.01/0 – ISBN 2–01–201145–5